D0353493

VARIATIONS SAUVAGES

HÉLÈNE GRIMAUD

VARIATIONS SAUVAGES

ROBERT LAFFONT

ISBN 2-221-09824-2

« Voici que s'approche le miracle de la libération. Cela peut se produire sur le rivage, et la même éternité qui, tout à l'heure, suscitait mon effroi est maintenant le témoin de mon accession à la liberté. En quoi consiste donc ce miracle ? Tout simplement dans la découverte soudaine que personne, aucune puissance, aucun être humain, n'a le droit d'énoncer envers moi des exigences telles que mon désir de vivre vienne à s'étioler. Car si ce désir n'existe pas, qu'est-ce qui peut alors exister ? »

Stig Dagerman

À mes parents

À Stéphane

1

Je n'ai aucune nostalgie de l'enfance. Tout au long des années qui ont passé, je n'ai jamais éprouvé le sentiment du paradis perdu mais plutôt celui d'un paradis à trouver, ailleurs, en attente.

Un paradis inscrit en moi, enseveli.

— Elle n'est jamais satisfaite !

Mille fois, petite, j'ai entendu ces mots dans la bouche de ceux qui me regardaient, me gardaient, me commentaient, et bien avant d'en comprendre le sens, j'en avais constitué une famille, comme avec mes peluches. Avec « In » pour patronyme. Ils étaient la famille des « In » et tous doués d'un même pouvoir : peindre le visage de ma mère d'étonnement ou d'inquiétude. Seule dans ma chambre, je me les répétais en détachant bien ce que j'avais retenu de leurs syllabes. Je leur composais un arbre généalogique. Chez l'arrière-grand-père des mots (j'avais moi-même un arrière-grand-père que j'adorais), In-soumise. Pas d'arrière-grand-mère, il n'y avait pas de raison, je n'en possédais pas moi-même. D'ailleurs, je me jugeais assez unique : mes rares enquêtes à l'école m'avaient rassurée sur ce trésor ; aucune, aucun de ce que mes parents ou la maîtresse appelaient mes « petits camarades » n'était nanti d'un arrière-membre de famille.

Après In-soumise, donc, venaient, très fréquemment, In-satisfaite. Puis In-gérable. Ou Im-possible. In-disciplinée. In-satiable. In-subordonnée... In-adaptable. Im-prévisible.

— Faites-lui faire du sport.

Quelqu'un avait dû diagnostiquer un trop-plein d'énergie, un surcroît de vitalité dont les arts martiaux ou le tennis ouvriraient les vannes. Je fis les deux, et de la danse aussi mais on me jugea totalement « in-apte » à cet art. Mon aversion dépassait la simple discipline corporelle : l'attirail me rebutait. Justaucorps ou tutu, chaussons ou satin rose, décidément, rien ne me plaisait. Je ressemblais épouvantablement aux poupées que, par quelques malheureuses tentatives, on tenta de m'offrir pour Noël. Toutes, je les ai jetées avec fureur contre le mur. L'idée même qu'on eût pu songer à m'offrir un objet pareil me faisait horreur. Alors, leur ressembler ! Mais j'éprouvais un certain plaisir à exercer les arts martiaux, et le tennis que je pratiquais régulièrement avec mon père, beaux moments de complicité avec lui dont le tempérament cartésien, le goût pour l'ordre et la programmation, la rigueur, s'agaçaient de mon agitation, de mes humeurs fantasques et de mes passions brusques.

Je sentais bien, quand il me surprenait, qu'il était contrarié. De cette surprise que j'ai appris à mesurer dans l'intense dilatation des pupilles de ma mère, quand elle découvrait que, de nouveau, je l'avais fait. Alors ils cherchaient tous les deux, avec la meilleure volonté parentale du monde, un exutoire à ces comportements in-sensés. Mais rien n'endiguait jamais cette vitalité que je savais retourner contre moi. Rien ne me rapprochait des autres enfants. Je n'avais pas de camarades de jeux. Ni à l'école, que je vivais comme une épreuve, ni dans les activités extrascolaires qu'on me proposait.

— Regardez ce dessin.

La maîtresse avait montré un grand papier sur lequel ma mère n'avait rien pu discerner d'autre qu'un réseau de carrés. Bien que préparée, professionnellement, à toutes les fantaisies puisqu'elle-même était professeur, elle ne vit pas venir le piège :

— Je ne comprends pas ce dont il s'agit.

— C'est pourtant simple, avait soupiré ma maîtresse, on a demandé à Hélène, comme à tous les enfants, de dessiner des poules dans une basse-cour. Votre fille a griffonné un grillage. C'est très inquiétant.

Il y avait eu, ensuite, entre elles, les chuchotements ; la famille des « In » s'était précipitée sous leurs lèvres. Les conseils. Les inévitables froncements de sourcils.

— Est-ce vrai que tu refuses de jouer avec les autres, pendant la récréation ? Ne me dis pas que dans toute l'école, il n'y a pas un seul garçon, ni une seule fille qui trouve grâce à tes yeux.

Elle s'inquiétait toujours, ma mère. Je frottais ma joue contre sa main. Elle avait un parfum très particulier, un mélange de lavande et de craie voilé souvent d'une pointe aillée que les savonnades ne dissipaient pas. L'ail de la Provence qui m'avait vue naître et dont elle saupoudrait les plats comme autant de minuscules cailloux blancs dans une forêt d'aromates, en chantonnant pour moi de vieux airs italiens. Je détestais qu'elle s'inquiète. Le froncement de sourcils qui creusait en ravine la naissance de son nez me labourait le cœur. J'éprouvais un affreux sentiment de culpabilité. Je me sentais méchante. Et pourtant, la méchanceté, ce n'était pas moi. Pas moi en essence. Je jetais les poupées contre le mur et avec elles, j'écrasais les élans affectueux de leur donateur, mais ce n'était pas moi, seulement quelque chose en moi qui voulait sortir, s'exprimer, s'évader.

— Qu'est-ce que c'est, une limite, maman ?

— Ce qui marque un terme...

— Mon corps est donc ma limite ?

Ma limite odieuse dont quelque chose de moi cherchait à se défenestrer. Méchante ? Les enfants étaient parfois méchants. Je pouvais fermer les yeux et incarner la méchanceté dans leurs rires et les coups furtifs assénés à leur bouc émissaire, pendant les récréations. Leurs coups de pied dans le flanc d'un chien malade. Et comment lui dire cette aversion que j'avais pour les autres, leur façon de rester en paquets, en groupes, et alors de frapper ou de viser le plus faible ? Je les trouvais lamentables. Je me sentais absolument différente d'eux. Et je l'étais, n'est-ce pas ?

— Nanou, il ne faut pas demander tout haut

pourquoi le gardien de l'immeuble marche en canard. Il boite parce qu'il est infirme, et il t'a entendue. Ça lui a fait de la peine et il ne faut pas blesser les gens. C'est cruel.

J'avais trois ans. Le lendemain, au même endroit, en croisant notre concierge, j'ai dit tout haut :

— Tu vois, maman, je ne l'ai pas dit qu'il marche en canard, le monsieur.

J'avais prononcé ces mots fort, bien articulés. Je ne me souviens pas de la réaction de ma mère. Je me rappelle seulement la riposte immédiate : la peine du gardien m'a frappée au cœur, je l'ai ressentie physiquement, elle était mêlée de tristesse parce que cette petite fille qu'il connaissait depuis sa naissance avait cédé à la cruauté de la maladresse, au pouvoir de faire mal. Je me rappelle l'horreur immédiate de mes propres mots et mon remords, ma souffrance. Elle avait ce même goût métallique sous le préau, elle entraînait la même décharge de couleur violine, quand je regardais les enfants de ma classe en railler un autre, quand je constatais leur violence, celle des garçons particulièrement, toujours en bande, toujours à se bousculer, à se brutaliser. Pourtant, si j'avais dû partager des jeux, j'aurais choisi les leurs. Mieux que quiconque, du premier coup d'œil, je repérais les meilleures branches pour grimper aux arbres. J'aurais pu les battre tous à l'escalade, à la course, à l'esquive. Leurs billes surtout me plaisaient : le jeu des mains sur les calots, cette chorégraphie digitale – parfois puissante, parfois délicate et fine –, faisait un ballet fascinant dans le soleil où éclatait, par fulgurances, les couleurs des agates, des gouttes d'eau, des pétroles, et des opales. Des billes, j'aimais jusqu'à la musique, ce léger tintinnabulement dans les poches, les sonnailles mates qui disaient la victoire quand elles s'entrechoquaient. Mais, allez savoir pourquoi, bille et fille ne rimaient pas. C'est vrai, aux billes, il fallait prêter son corps, ne craindre ni les accroupissements, ni les contorsions. Et les filles avaient toujours le geste aux aguets, le mouvement contraint, elles s'appliquaient à ne pas froisser leurs jupes, ni à tirebouchonner leurs chaussettes quand les garçons affichaient un dédain pour leurs vêtements, qu'ils tachaient ou déchiraient sans états d'âme, avec une superbe qui m'enchantait.

Je ne me sentais pas « garçon » pour autant, j'étais enfant et me révoltais qu'au prétexte de mon sexe, on attende de moi une attitude prédéterminée, convenue, et totalement étrangère à ma nature. Par bonheur, ma mère respectait mon caractère et jamais elle ne m'a imposé ces jupes, blouses ou robes à smocks.

Pendant les récréations, pour éviter les autres, je courais me cacher dans les salles de classe ou les couloirs, derrière les vêtements pendus aux patères métalliques. Il arrivait qu'un surveillant me trouve et me renvoie dans la cour. J'y avais mon coin, l'angle d'un haut mur qui protégeait mon dos, et, immobile comme un lézard, j'observais tout ce qui se passait, surtout dans celle des CM2.

Là, toujours flanquée de deux ou trois autres filles, avec une nonchalance de reine, Sabine se promenait sous les marronniers. J'enviais les rires et les complicités de ces grandes, cette atmosphère étrange tissée des secrets qu'elles partageaient et qui rosissaient leur teint. Sabine était très longue, les joues rondes, elle avait quelque chose de très doux dans son allure et de très franc dans son sourire. Je lui trouvais un air de madone. J'aimais la cadence de ses cheveux sur ses épaules quand elle marchait et surtout, ce don de faire taire tous les bruits – la cacophonie entière d'une cour de récréation – autour d'elle, dès qu'elle apparaissait. Elle suspendait les sons. Je l'admirais. Quand je songeais à elle, alors, une impatience à grandir vive, acérée, me saisissait brusquement, de nouveau cette envie de sortir de moi, de lancer mes membres dans toutes les directions, ce sentiment qui me jetait hors du monde avec la force d'un sanglot joyeux.

Dans les salles de classe, je ne parvenais pas davantage à une conciliation avec mon entourage. Maîtres ou professeurs échouaient à me tenir dans le rang. Non que j'aie été mauvaise élève, seulement j'intervenais à tout moment, ou rêvassais quand il fallait suivre ; je posais des questions déplacées, je débordais en permanence comme un torrent. Je perturbais la classe. En même temps, j'en étais malheureuse. Je ne parvenais pas à me sentir totalement innocente des observations qui pleuvaient sur moi. La culpabilité me rongeait et la nuit, dans mes rêves, pendant longtemps, j'ai senti le hurlement du mistral me jeter de l'énorme escalier de l'école que mon cauchemar dressait sans rampe, sans point d'appui, et je m'abîmais dans une chute vertigineuse. J'en sortais indemne, bien sûr, en transes et en sueur mais toujours étonnée de me réveiller dans mon lit, comme si cette chute devait me rendre à un autre élément, un ailleurs d'une autre essence où je me serais enfin sentie chez moi. Plus loin que moi. Plus grand que moi. Je ne savais pas où, mais ce désir d'ailleurs était en mon être quoique en creux, il était comme un manque impérieux, et cette indicible présence, son ineffable absence me tourmentaient, me hantaient.

***

En 1532, à Aix-en-Provence, la ville où je suis née, le président du Parlement, Barthélemy de Chasseneuz, a écrit un recueil de ses consultations, dont la plupart concernait les « procédures en usage contre les animaux pernicieux ». Lui-même, racontait-on, avait défendu dans une plaidoirie habile les rats qui avaient envahi la ville d'Autun. Dans ce recueil et sans le moindre humour, Chasseneuz, alias Chassené, récapitule les questions ordinaires posées par les méfaits des animaux pernicieux dont, par ailleurs, il dresse la liste. Rats, mulots et campagnols, charançons, limaces, hannetons, chenilles et autres vermines, autant de nuisibles dévorateurs de récoltes.

Faut-il dès lors les traduire en justice ? s'interroge Chassené, qui se livre à une recension des jurisprudences en cours à l'époque. Elles sont formelles : les animaux doivent passer devant un tribunal où ils sont nommément assignés. Et s'il y a défaut de comparution, on désigne d'office un procureur pour les représenter. Ces procès sont instruits exclusivement devant la juridiction de l'évêque ; les sentences rendues extradent les nuisibles et les vermines des terres cultivées qu'ils ratiboisent mais, reconnaissant leur naturel et légitime besoin de se nourrir, elles les autorisent à s'installer dans des champs en friche. Enfin, lorsque les bestioles accusées n'obtempèrent pas, c'est-à-dire à peu près systématiquement, le juge les frappe d'anathème ou d'excommunication. Ainsi, mouches et mulots de Laon sont excommuniés, et pareillement les sauterelles de Troyes et moult autres chenilles ou garennes.

Pour autant, tous les auteurs de délits de la gent animale ne sont pas excommuniés. Les animaux domestiques, eux, subissent un procès en bonne et due forme, mais devant une juridiction laïque. Ceux-là, cochons, bovins, ânes, chiens ou chevaux, coupables d'avoir dévasté boutiques ou jardins, d'avoir volé de la nourriture, refusé de travailler ou, beaucoup plus grave, coupables d'homicide, sont arrêtés et conduits en prison où ils attendent l'application de leur peine.

Alors, comme pour n'importe quel criminel, la police établit un procès-verbal, mène son enquête, cite les témoins et les entend. Le verdict tombe. La sentence est rendue et enfin signifiée, dans sa cellule, à l'animal coupable. Voici comment, en 1386, en Normandie, une truie condamnée à mort, habillée en homme des pieds aux oreilles, fut traînée par une jument (traitement ô combien infamant) jusqu'au champ de foire où elle fut suppliciée. Devant le vicomte de Falaise et ses paysans accourus avec tous leurs cochons pour leur plus grande édification, et face au propriétaire de la truie placé au premier rang « pour lui faire honte », le bourreau trancha le groin et taillada une cuisse de la truie. Puis il glissa par-dessus le museau mutilé un masque d'homme et pendit l'animal par les pattes arrière, jusqu'à ce que mort s'ensuive, après quoi la truie fut brûlée sur un bûcher.

Qu'avait commis cette truie pour mériter une telle mort, et entraîner dans le spectacle de son supplice ses congénères alentour ? Elle avait, après s'être introduite dans la maison, dévoré la moitié du visage et le bras d'un enfançon de trois mois, Jean le Maux, couché dans son berceau, qui mourut de ses blessures.

Dans la même logique, à Gisors, on pend un bœuf pour démérites ; à Clermont-en-Beauvaisis, on arquebuse une ânesse pour ruades contre sa nouvelle maîtresse ; à Baugé, on pend et brûle une brebis en un sac avec son propriétaire pour bestialité. Les procès d'animaux ne manquent pas. Les porcs tiennent toutefois la vedette des chroniques judiciaires criminelles animales, courantes jusqu'au XVIIe siècle. C'est qu'en ces temps, les porcs divaguent à leur guise dans les villes et les campagnes où ils font office de cantonniers, d'éboueurs et où ils ravagent les cimetières pour y déchiqueter les cadavres. Ainsi, soumise à la question, une autre truie avoue (*sic* !) en 1457, à Savigny-sur-Étang en Bourgogne, avoir tué et à moitié dévoré, avec ses six porcelets, Jehan Martin, âgé de cinq ans...

Pourquoi ces procès ? Tout simplement pour que les animaux, dont on hésite encore à établir la nature – ont-ils une âme ou pas et de quelle essence ? –, bénéficient d'un jugement et d'un traitement équitable et juste. Comme n'importe quel humain.

***

Parfois, j'étais pleinement heureuse. Je l'étais lorsque mes parents décidaient brusquement de s'évader de notre maison aixoise, ça les prenait d'un coup. « On part ? » « Partons. »

Plus d'école, plus de voisins, plus de regards sur moi. Les contraintes restaient à la porte de l'immeuble. Chacun s'installait confortablement dans sa part d'espace, épaules relâchées, garde baissée. Pendant ces petits voyages – ils avaient lieu, généralement, le week-end ou durant les petites vacances scolaires –, je tombais dans des phases de béatitude. J'étais enfin dans le moment, j'étais moi, indivisible, actrice de la seconde et non plus à côté ou en marge, à regarder dans une vigilance aiguë ce qui se passait autour de moi et à quoi je ne parvenais jamais à participer. Cet affût m'épuisait tout en me chargeant d'une électricité d'orage, comme si les électrons du cosmos se désolidarisaient, bousculaient mon sang, mauvais sang, mauvais sang que cette rebelle, mais d'où me venait ce sang ?

Là, dans la voiture, comme un baume, la douceur et le rythme infini du voyage posaient sur moi une aile d'oiseau, une couverture invisible tissée de vent par une main d'ange. J'étais transportée dans tous les sens du terme. Le silence était en croix : dedans, le ronronnement horizontal du moteur ; dehors, la stridence verticale des cigales... Je fixais mon regard sur les montagnes, sur le col de la colline la plus proche où l'horizon coupait la route et j'attendais en toute foi, dans une impatience calme et paisible, persuadée qu'à ce point précis le visage de Dieu m'apparaîtrait.

Il se dérobait ? J'attendais les coteaux suivants, le dernier lacet de la route, et encore, encore, sans que mon optimisme ni la certitude de ce rendez-vous ne soient jamais entamés. Je faisais, avec Dieu, d'interminables parties de cache-cache.

Longtemps, il m'a semblé que je le découvrirais derrière la montagne Sainte-Victoire, que mes parents aimaient sillonner. Pour cette raison, elle m'a toujours semblé magique de loin mais, une fois approchée, une fois que sa proximité voilait la possibilité de cette rencontre programmée avec le Seigneur, je ne l'aimais plus du tout. Je lui trouvais mauvais climat comme on dit mauvaise mine.

Je la trouvais ridée, labourée par trop de parcelles, ravinée par trop de routes, de lignes électriques, de poteaux téléphoniques, encombrée de trop de villages. Je la trouvais rétrécie et asphyxiante. La « Scarface » des montagnes.

— Regarde la montagne Sainte-Victoire, Nanou... commençait ma mère qui voulait, à son tour, la peindre pour moi de toutes les beautés.

Paul Cézanne a représenté ce lieu dans des variations infinies. Il a vécu à Aix jusqu'à sa mort, et à la fin de sa vie, il ne cessait plus de répéter « On ne me mettra pas le grappin dessus ».

Ma mère ne manquait jamais une occasion de m'instruire, de jeter ses semences de savoir. Dans sa bourse aux grains d'or, la peinture de Paul Cézanne tenait bonne place mais sa prédilection allait à l'Italie où sa famille, par la Corse d'où elle était originaire, avait des racines. Mon père et elle enseignaient tous les deux cette langue musicale, et pleine de mystères à mes oreilles : quand ils échangeaient leurs secrets devant moi, quand ils exprimaient leurs inquiétudes sur mon compte, mes parents s'exprimaient en italien. J'avais alors dans l'oreille une fugue trousseuse de mots dont le cousinage avec le français m'ouvrait parfois d'étroites perspectives sur le sens de leur dialogue, comme un spectacle entrevu par le trou d'une serrure, morcelé, interdit. C'est grâce à l'italien que j'ai compris, pour la première fois, qu'on peut être une énigme pour ses propres parents. Et malgré tout l'amour qu'ils vous portent, pour les êtres qui vous sont les plus proches. Pour cela, l'italien restera toujours, dans mon esprit, la langue des mascarades et des carnavals ; en même temps, celle des vérités entrevues de loin. Peut-être est-ce pour cette raison que j'ai très vite contracté la passion de ma mère pour Pirandello. Je retrouvais dans son théâtre cette sorte de dédoublement dont je souffrais en permanence, non pas une mise à distance avec moi-même, mais avec le monde. L'art du recul et du retrait.

Il y avait néanmoins un endroit où je n'éprouvais pas ce sentiment d'étrangeté. C'était la Camargue, et c'était magique. Un rêve émané de la mer... À quelques heures de voiture à peine, on basculait dans un autre univers, quelque chose de sauvage, d'indompté y triomphait violemment. Passé Arles, quand on prenait la route des Salins ou celle des Saintes-Maries, mon attention se tendait comme un arc. Je sentais mon cœur battre plus fort. Je scrutais le paysage de toutes mes forces, dans l'attente du chemin de terre qui nous mènerait dans les replis secrets du delta.

Si, partout, j'avais l'impression d'être une fausse note, là, au contraire, je participais à une vaste harmonie. Dans les étangs et les miroirs d'eau à perte de vue, on sentait la force du Rhône, on devinait qu'il pouvait devenir à son tour taureau, donner du flot comme de la corne. Ce n'était plus le soleil d'abeilles et de mimosa du jardin, mais l'éblouissement impitoyable d'un midi aux quatre points cardinaux. Les flamants roses, les chevaux sauvages brassaient le parfum puissant du sel et de l'humus. La liberté avec laquelle, brusquement, les uns prenaient leur envol et les autres leurs galops en secouant leurs crinières me vitaminait l'âme. La Camargue était plus qu'un paysage : le soupçon brièvement entrevu, l'intuition fulgurante d'une harmonie entre mon âme et un avenir. Là, pour la première fois, j'ai eu la prémonition de grandes choses, d'un destin.

Je me savais sur un territoire d'une autre espèce, l'un de ces espaces d'où l'on s'élance, et rien ne me faisait plus plaisir que d'y venir. Je courais en toute joie, en toute exubérance sur cette terre d'horizons où tout est trop : le soleil trop mordant, le vent trop fort, les eaux trop imprévisibles. Je me répétais les mots de Paul Cézanne : « On ne me mettra pas le grappin dessus. » Pour sûr, la Camargue m'en disait autant et par moments, je cessais mes bonds, mes courses, mes roulades dans les hautes herbes et je m'obligeais à marcher sur la pointe des pieds pour ne pas déranger. J'étais invitée, simplement tolérée, comme le rappelaient la brûlure du soleil sur mes épaules de blonde et la piqûre des moustiques ; en même temps, je me sentais cheval, vent, marée furieuse, jacinthe douce. Je me roulais dans les vagues. Enfin en amitié avec mon corps, je n'étais ni fille, ni garçon. J'étais simplement, entièrement et merveilleusement vivante.

***

Si, au XIIIe siècle, Philippe de Beaumanoir affirme que les bêtes ignorent et le bien et le mal, nombreux sont les juristes qui, au XVIe siècle encore, tels Jean Duret ou Pierre Ayrault, estiment qu'il faut punir par pendaison ou garrot les animaux auteurs de meurtre ou d'infanticide. Après tout, la Bible ne recommande-t-elle pas d'abattre les animaux homicides car ils sont coupables et impurs ? « Le bœuf qui a tué un homme ou une femme devra être lapidé et ses chairs ne seront pas mangées ; son propriétaire en revanche sera innocent. » (*Exode*, XXI, 28.)

Au Moyen Âge, on pense que l'animal est en partie responsable de ses actes car, comme tous les êtres vivants, il possède une âme, végétative comme toutes les plantes, sensitive comme les plus simples des animaux, mais aussi intellective comme celle de l'homme. Possède-t-il de surcroît un principe pensant et un principe spirituel ? Et les scolastiques de demander encore si les animaux ressuscitent après la mort, s'ils ont un paradis qui leur soit spécialement réservé ou s'il faut les traiter ici-bas comme des êtres moralement responsables. Ne sourions pas. La question est sérieuse, et louable le temps où le sort des animaux et le respect qui leur est dû, fût-ce dans le danger qu'ils présentent parfois, sont gravement pesés et étudiés. Après tout, comme le dit saint Paul (*Romains*, VIII, 21) toutes les créatures sont « enfants de Dieu ». Sauf le serpent, que le Seigneur a maudit pour complicité criminelle avec Satan, dans le jardin d'Éden.

Sauf le serpent pour Dieu... et le loup pour l'homme.

Considéré comme un fléau dès que sa présence est signalée dans les campagnes, le loup est pourchassé sans relâche. On organise des battues pour le saisir. On l'accable de tous les maux, tous les crimes – combien d'infanticides lui a-t-on attribués ! –, de toutes les disparitions – combien de viols et d'assassinats n'a-t-il pas couverts à son insu ! – et du plus terrible forfait entre tous, de pure sorcellerie : la lycanthropie.

Les loups convaincus de ce crime étaient écartelés, puis incendiés vifs sur des bûchers de sorcière. La lycanthropie ? Ce sortilège par lequel l'homme ou la femme se transformait en loup, quand Satan lui-même ne prenait pas sa forme, ses poils, sa gueule rouge aux yeux jaunes qui ouvrait la porte de l'enfer au cœur paisible des campagnes.

Ce fantasme inouï, hélas, et le martyre qui s'ensuivit pour les loups ne datent pas du Moyen Âge. Il perdure depuis la nuit des temps.

Depuis que, dans l'Antiquité, comme le raconte Pausanias, Jupiter a maudit le roi Lycaon d'Arcadie pour avoir sacrifié un nouveau-né sur son autel. Pour dix ans, le dieu des dieux métamorphose le roi en loup, en signe de châtiment absolu.

On les hait depuis qu'au Moyen Âge, les médecins ont diagnostiqué une maladie physiologique très particulière : la lycanthropie, justement. Cette « folie louvière » plonge les femmes dans la luxure et la frénésie sexuelle, les plus jolies et les plus jeunes, qui hurlent à la lune, la nuit, les seins aux étoiles et le sexe offert, un sexe dévorateur d'âmes.

***

Je n'avais pas de vrais amis, ni frère, ni sœur. Je ne m'en plaignais pas. Mes parents fournissaient à ma vie la nourriture nécessaire à mon imagination. Les livres d'abord, les livres surtout.

Je me jetais sur eux dès mon retour de l'école, cartable abandonné sous mon bureau, les épaules bien calées sur mon oreiller. J'avais mes favoris, mes listes d'attente. Je les convoquais au parloir. Je pouvais en commencer deux en même temps, l'un à effeuiller comme une marguerite, page après page, ou à déguster en petit four, l'autre à dévorer sans perdre de temps, goulûment sans une miette de désamour. Ma passion pour eux me portait comme sur un nuage, de la page cornée la veille à mon retour de l'école, le lendemain. L'amitié de leurs personnages me protégeait contre la vacuité des cours de récréation et l'ennui des salles de classe. Ainsi, Alexandre Dumas a veillé sur ces années d'enfance avec une générosité, une attention, un soin d'agréer mon plaisir inégalés. Quelle élégance ! Quelle abondance de descriptions pour que jamais je ne me perde dans un décor incertain ! Quelle ingéniosité dans les rebondissements ! J'attendais la suite des épisodes, impatiente, fébrile. Tout en lisant, je caressais du pouce la tranche du volume, dont l'épaisseur augurait des dizaines d'autres rendez-vous secrets. Le comte de Monte-Cristo, les trois mousquetaires, le vicomte de Bragelonne...

Parfois, je mélangeais un peu les histoires. D'Artagnan se promenait au château d'If. Milady voguait sur la Volga. J'étais avec la reine Tamar dans les montagnes de Géorgie. Je crois que c'est à Dumas que je dois mon amour physique des gros livres qui, plus tard, m'a entraînée vers Tolstoï, et surtout Dostoïevski. Mais mon premier livre, mon premier coup de foudre de littérature, ce fut la Bible.

Je la lisais dans l'ordre et dans le désordre. J'ouvrais les pages au hasard. Certaines têtes de chapitre me fascinaient : « Sagesse de Dieu marquée dans les plaies dont il frappe l'Égypte », « Dieu instruit ses enfants par les châtiments qu'il exerce sur ses ennemis »... Il y avait là un cocktail dont j'ignorais tout des ingrédients mais dont le mariage des essences, « sagesse et plaies », « instruire par châtiments », exerçait sur moi un trouble insidieux, incompréhensible mais puissant. Les noms cités et les lieux-dits étaient eux aussi pure merveille – Aaron, Salmenasar, Phacée et Romélie. Les mises à l'épreuve auxquelles Dieu soumettait son peuple comblaient mon mysticisme. Cette notion très orageuse de l'amour me ravissait. Je me régalais d'épisodes que je jugeais particulièrement osés et parfois, je m'étonnais qu'on laissât ce livre entre mes mains : des meurtres, des ruses, des infanticides, des incestes... C'était infiniment plus excitant que les niaiseries qu'on nous débitait pendant le catéchisme où je m'ennuyais copieusement.

Vraiment, le Dieu de l'Ancien Testament me plaisait beaucoup. Et je le priais ardemment de m'apparaître. J'avais déduit de ma lecture que la révélation aurait nécessairement lieu en montagne et fini par croire que les montagnes avaient été créées à cette toute fin. Le Nouveau Testament me séduisait moins. Les Évangiles me paraissaient bien fades en comparaison du Cantique des Cantiques, et des prophéties d'Isaïe, dont je relisais jusqu'à l'étourdissement certains passages :

« Ce sera le lit du dragon et le pâturage des autruches. Les démons y rencontreront les onocentaures et les satyres velus s'appelleront les uns les autres. Les spectres y feront leurs demeures et y trouveront leur repos. »

Onocentaures et satyres velus. Dragon et autruches. Quel bestiaire fantastique chevauchaient les spectres ! La Camargue elle-même, pourtant inouïe de ciels et de replis, ne recelait rien de cette engeance, et pas même une gentille licorne, pourtant pâle et chevelue comme les beaux chevaux blancs que j'aimais surprendre. Et si j'adorais beaucoup Jésus, je le trouvais un peu froid envers les animaux. Pourquoi, contrairement à saint François, n'invitait-il ni les oiseaux ni les poissons à ses prêches ? Lui sur qui avaient veillé dès sa naissance le bœuf placide et l'âne doux ?

Je laissais retomber mon livre. Je rêvais. Et alors, dans ma chambre, s'étiraient ces interminables et délicieuses plages d'ennui, ces heures de vide que mes parents ne comblaient pas d'activités extrascolaires, ni de télévision. Avec le recul, je me rends compte du privilège de ces moments où l'on sent presque pousser ses os. On mesure, dans la lenteur du rêve et l'épaisseur du silence, la densité du temps qui s'écoule. Les heures d'ennui de l'enfance sont les jardins du temps, bêchés d'exaspérations, labourés d'éternités ralenties, hantés de futurs lointains... J'y vagabondais, le corps prisonnier de ma chambre et des mercredis d'hiver. J'y élaborais mes désirs et des images. Je me précisais, je m'apprenais par cœur et surtout, j'établissais d'inépuisables plans d'évasion.

À ce jeu, mon sens inné du drame, ma prédilection pour la tragédie élaboraient très vite les pires scénarios. Ainsi, chroniquement fâchée contre le monde, je m'abîmais dans des images de vengeance qui me tiraient des larmes : la plus savoureuse de toutes, c'était ma mort et je la leur infligeais avec délectation. Ah, comme ils s'en voulaient alors de leur sévérité et de leurs remarques ! De leur manque de souplesse ! Ah, ce remords qui les rongeait jusqu'au tréfonds ! Comme ils regrettaient de m'avoir refusé ce chien dont je rêvais tant. D'avoir pris le parti de la directrice quand elle s'était aperçue que j'avais introduit, en cachette, ce chiot que j'avais trouvé dans la rue, pour que toute l'école l'adopte comme mascotte, et qu'elle l'avait confié dans l'heure à la SPA.

Je déposais mon corps inerte dans mille endroits où ils ne s'attendaient pas à le découvrir. Alors, comme dans un film, je faisais passer sur leurs visages toutes les expressions de l'effroi : stupéfaction, incrédulité, horreur, révolte mais tant pis pour eux, ils l'avaient bien mérité, je restais morte, je refusais de ressusciter. Et si mon rêve provoquait vraiment ma mort ? Glacée, je chassais aussitôt ces images, je verrouillais mon cerveau pour leur interdire de s'y introduire encore. Je me jetais dans mes livres pour détourner mon attention. Peine perdue. Mon désir fantasmé, c'était sûr, avait déclenché la néfaste et implacable machinerie du destin. Tout le monde le savait, en tout cas moi, jusque dans ma chair : à forcer ses désirs, on en fait des vérités, pire, des réalités.

Mes parents étaient absents. Pourquoi n'étaient-ils pas encore rentrés ? J'arpentais ma chambre. Le nez collé au carreau, je contemplais le paysage sous la pluie, le halo de buée que mon souffle avait dessiné. J'écoutais intensément les bruits de la maison dans l'attente de leur retour.

Désertée, elle devenait bavarde. Le tic-tac de l'horloge dans la cuisine, le réveil soudain du réfrigérateur, le craquement des meubles. Mille fois, je vérifiais l'heure. Ils étaient réellement en retard. Impossible. Mon père n'était jamais en retard. Sa ponctualité militaire était légendaire. Alors ils avaient eu un accident. C'était de ma faute ! J'étais orpheline. Et affreusement, les images vénéneuses de mon rêve éveillé m'assaillaient de nouveau. Moi, en larmes, en noir, dans la compassion générale. Cosette, Cendrillon, toutes les orphelines du monde se pressaient de nouveau pour le casting. Ma culpabilité redoublait jusqu'à ce que, enfin, enfin, j'entende la porte s'ouvrir.

— Nanou ?

Ah ! la voix de ma mère qui s'assurait tout de suite que j'étais là, que j'allais bien. La vague de panique se retirait de mon cœur. Je me jetais sur mon lit avec un grand soupir. Mes veines se vidaient de leur mercure et mes poumons de leur souffle de chrysanthèmes.

Ma mère chantait ses vieux airs italiens. En lisant, j'écoutais le remue-ménage dans la cuisine où elle préparait le dîner. Ses mains sorcières organisaient des symphonies entières. Tam-tam du couteau sur la planche qui émincait ail ou légumes, cymbales étouffées de l'oignon qui rissole, cuivre des casseroles qui s'entrechoquent.

C'était le meilleur des mondes, de nouveau. Ma mère était là et soudain, les secondes et les minutes désœuvrées, errantes, perdues dans de vertigineux espaces où le temps vacillait, reformaient leurs divisions, leurs bataillons, soixante secondes dans la minute, soixante minutes dans l'heure, en cadence mesurée et régulière, tic, tac, vingt heures, l'écho des informations à la télévision, celui des bruissements de vies dans l'immeuble et tout cela, dans la ronde du cadran de l'horloge, répondait aux ordres de la trotteuse et de la grande aiguille, et petit doigt sur la couture encore. Le temps cuirassé, inattaquable, inoxydable, le temps mitonné par une mère aimante, le temps sous la haute surveillance des armées de pendules était de retour.

Quand ma mère m'appelait enfin à table, je quittais ma chambre d'un pas léger, délicieuse d'humeur, le cœur débordant d'amour et de compassion, et, prise d'un excès d'allégresse irrépressible, je tournoyais sur le carrelage, je me pendais au cou de ma mère, je l'embrassais, sautais encore, ce qui faisait invariablement dire à mon père que, décidément, j'étais une enfant bien épuisante...

***

Dans le nord de l'Allemagne, il était formellement interdit de prononcer le mot loup pendant les douze jours du plein hiver. Ce temps du loup, *die Wolfzeit*, est d'ailleurs baigné d'un soleil noir. C'est que, en cette période précise, Skoell et Hati, les loups noirs des forces du mal, rôdent indéfiniment pour dévorer l'astre lumière. Barthélemy l'Anglais prétend, au XIIe siècle, que le loup est un animal terrible qui ne se nourrit que de crapauds et, comme Attila, brûle à jamais et partout l'herbe où il passe. Gaston Phébus, au XIVe siècle, affirme de son côté que le loup marque une prédilection pour la chair humaine, particulièrement pour celle des petits enfants, exquise de tendreté.

En fait, une seule culture a respecté le loup, et encore dans la mythologie seulement car sur ces terres aussi, il était impitoyablement chassé pour sa fourrure. Les pays celtes et les contrées scandinaves aux nuits infinies d'hiver, aux ciels d'une pureté cristalline dans la rapsodie blanche du Nord lui ont attribué, dans leurs légendes, le symbole de la lumière. Là où d'autres le font hurler sous la lune, le loup y incarne le soleil. Au cœur de ces grands espaces saisis, dans leur aveuglante vérité, par le froid, dans cet autre éden, ce paradis préadamique où ne fleurit aucun mensonge ni imposture, dans ce Grand Nord qui n'admet aucun relâchement, interdit toute langueur sauf en l'amour, le loup est la vie, plus mordante que le gel. La vie, dans une acuité énorme.

Jusqu'en Russie, aux lointains de ses steppes, il apparaît, mythique, et distribue ses bons sorts aux gentils, aux faibles, aux victimes. Qui sauve, avec une fidélité aveugle, le jeune Ivan-tsarévitch de la mort sûre, du déshonneur et du désamour ? Le grand loup gris de *L'Oiseau de feu*...

Vous ne connaissez pas ce conte ?

Les pommes d'or du tsar Démian sont volées toutes les nuits, malgré une garde vigilante et de hauts murs pour protéger le jardin aux fleurs rares et aux arbres précieux. Furieux du saccage, le tsar promet son royaume à qui débusquera le criminel. Les trois fils du tsar relèvent le défi. L'un après l'autre, ils font le guet, la nuit, mais seul le benjamin, Ivan-tsarévitch, parvient à résister au sommeil. Il démasque le voleur : un oiseau de feu ! Il se jette sur lui, mais n'attrape qu'une plume. La vue de celle-ci attise la convoitise du tsar. Maintenant, il veut sauver ses pommes, mais il veut aussi l'oiseau merveilleux. Mon royaume, confirme-t-il, sera à qui me le ramènera.

Aussitôt dit, aussitôt partis ! Les trois fils filent à sa recherche, chacun sur son cheval. Qui récompense le courage et l'innocence du jeune Ivan ? Un grand loup gris qui le prend en monture. Avec une fidélité obstinée, une abnégation sans nom, aveugle aux désobéissances du jeune tsarévitch qui compromettent à chaque épisode le succès de l'affaire, le loup le mène au but. Il court, court, d'un bond passe les monts, d'une foulée franchit les vallées, des pattes dévore l'espace, de la queue efface la trace ! Il mène Ivan d'abord à l'oiseau de feu, puis au cheval à crinière d'or, puis à la princesse Hélène-la-Belle. Et enfin à la vie...

Ah ! vous dites-vous. Hélène et le loup. Leur alliance, donc, commence ici ? Eh bien non, comme le précise cette histoire, « un conte se dit vite, le chemin se fait lentement ». L'oiseau de feu et le loup gris de la légende, je les ai rencontrés bien après, grâce à Stravinski qui a composé pour eux.

Je les ai rencontrés après que la musique fut entrée dans ma vie. Après qu'Alawa, la louve aux yeux luisants, eut croisé mon chemin, sur une route de Floride pour, elle aussi, me sauver la vie. Mais chut, nous n'en sommes pas encore là.

***

Vous l'ai-je dit ? Ma mère est corse, d'ascendance italienne, certes, mais corse. Elle a quitté l'île de Beauté pour ses études et pour le continent, tout entier concentré à ses yeux de jeune fille dans Aix-en-Provence. En Corse, elle habitait un petit village de montagne, Olmo, et pendant les premières années de ma vie, nous passions nos étés à quelques kilomètres de là, sur la côte, à Ghisonaccia. Je dois à la Corse mon premier souvenir. Je serais incapable de décrire le lieu dans le détail, du plus petit au plus grand, ni de dérouler le paysage de façon que je puisse conduire quiconque d'un point à un autre. Pourtant, j'aime ce jeu, lorsque je suis seule, de dévider les souvenirs comme un escargot paresseux, de dresser en imagination un paysage où déambuler dans la lumière dorée de la mémoire. Mais les images qui me restent de ce temps brillent seules, comme une île à la dérive dans un océan nocturne, ou plutôt comme une source phosphorescente en *terra incognita.* Du voyage en bateau pour accoster sur cette contrée maternelle, de la route, de la maison où nous résidions il ne me reste rien, ou si peu, et jamais nous ne sommes retournés là-bas après que j'eus commencé le piano.

Pourtant, j'ai en mémoire ces fragments précis qu'appelle toujours le parfum particulier et inoubliable de cette terre – un mélange de garrigue et d'herbes sauvages, de sucre et de fleurs poivrées dont parfois le hasard recompose la formule, soit au cours d'une promenade soit, étrangement, dans une cuisine. Alors un paysage très précis et qui ne m'a jamais quittée se dessine immédiatement derrière mes paupières. Je me souviens très exactement d'un sentier dans la montagne au cœur d'un réseau d'autres sentiers que croisaient, en sautant sur leurs pattes nerveuses, des chèvres ; je me souviens de l'énigme de leurs pupilles oblongues dans leurs yeux jaunes et de l'éboulis des petits cailloux sous leurs sabots gris et pointus. Un âne colorié de cendre avance sa mâchoire inférieure, tire sur son cou de toutes ses forces et pousse ce cri incroyable, un bruit de scie, de protestation, presque un cri de douleur qui a bercé mes nuits et mes jeux là-bas.

Ma grande joie était d'aller dans le maquis à la rencontre des ânes et des chèvres, de découvrir, dans l'herbe sèche, les minuscules billes noires et luisantes des petites crottes de lapin, d'apercevoir, comme deux plumes d'Indiens, le V frémissant de leurs oreilles dépasser d'un buisson où le bruit de mes pas les avait surpris et de les voir, alors, détaler, leur course ponctuée de loin en loin par la virgule de leur queue blanche. J'aimais me fondre dans ce paysage. M'accroupir, tout ouïe.

Attendre ainsi, je ne savais quoi, dans le crissement des cigales. Un instant humer la terre et me convaincre de mon existence dans l'odeur chaude de mon propre corps que je vérifiais, et dont je m'emplissais, le nez plongé dans l'échancrure de mon tricot. C'est ce souvenir qui reste le plus précis de tous.

Des promenades du soir sous les marronniers de la grand-rue d'Olmo, à l'heure fraîche, dans les pas de ma mère, il ne me reste que de vagues impressions. M'appartiennent-elles d'ailleurs ? J'ignore si mon imagination les a recomposées sur les dires de mes parents ; si j'ai inventé l'image de ces maisons massives, incroyablement hautes et austères, ou le sourire de cette femme toute en noir et antique, ou encore les silhouettes des vieux noueuses comme des sarments de vigne, assis sur les bancs devant leurs portes. Mais j'ai toujours dans ma chair la douleur de la coupure au plus profond de mon talon. La douleur et la jouissance aussi de cette première blessure.

Comment est-ce arrivé ? Impossible de me le remémorer, stupidement sans doute. Où est-ce arrivé ? Sur la plage dont je ne sais, au-delà de ce mouchoir découpé dans le temps, à quoi elle ressemble. Grande ? Longue ? Engolfée ? Encore une fois, je ne me le rappelle pas. Simplement, il y eut ce jet sourd dans la pulpe de mon pied et le sang qui coulait. L'entaille était profonde. On jugea qu'il fallait me recoudre et l'unique médecin du village, s'il avait de quoi cautériser une plaie, ne possédait aucun anesthésique pour soulager la douleur de l'aiguille dans l'épaisseur de la peau, ni celle du tiraillement du fil dix fois recommencé. Mon père était pâle. Ma mère serrait les dents.

— Ne regarde pas.

Mon pied trempait dans une bassine de fer émaillé emplie d'un liquide mauve, vaguement fluorescent. Comme de petites éponges marines, la mousse de mon sang s'épandait en des nappes roses pâles.

— Tenez-la bien.

On séchait mon pied sur lequel se penchait maintenant le visage du médecin. Mon souffle le touchait. La concentration fronçait ses sourcils. Il était si près de moi que j'avais l'impression de le voir au travers d'une loupe. Les rides de son front couchaient une série de S comme des vagues dessinées sur un croquis naïf. Flottant par-dessus son épaule, la tête de mon père, livide. Et puis plus rien.

Plus d'image mais le souvenir de ce que j'ai ressenti et de violence.

— Hélène ? Hélène ? Ça va ? Elle a un drôle d'air.

J'ai sursauté. Tout absorbée par la découverte de cette nouvelle sensation, j'avais oublié mes parents et leur inquiétude fouettée par mon expression... Au lieu de hurler comme ils s'y attendaient, au lieu de me débattre, de pleurer ou de m'abîmer dans ces crises de nerfs dont j'avais le secret – la dernière que j'infligerais à mon entourage fut pour ce chiot qu'on m'avait interdit d'adopter à l'école –, je souriais. Un sourire doux, un sourire d'extase que nourrissait chaque plongée de l'aiguille dans ma chair. Comment décrire cette sensation ? D'ailleurs, peut-on décrire avec des mots le plaisir ou la douleur physiques ? Peut-on même rappeler ces sensations à soi et les revivre telles qu'on les a vécues ? On se souvient abstraitement qu'on a eu mal ; on ne se rappelle pas concrètement comment on a eu mal. Ainsi, je ne pourrais pas décrire ce que je ressentais dans la petite salle de consultation de ce médecin, perdue au cœur d'un village corse. Je me souviens que je ne souffrais pas. Tout au contraire, j'étais ravie.

Ce n'était pas le bonheur d'un baiser de ma mère, ni le plaisir de caresser le chien de mon arrière-grand-père, ou de bercer le chiot de mes voisins que j'allais promener le soir, à Aix. Non, ce n'était pas un plaisir de cette espèce. C'était un plaisir intense mais indépendant, non pas dû à une cause extérieure, mais né en moi, de moi, une partie de mon corps en était la source. C'était une jouissance à la limite extrême de la souffrance. Et ce plaisir me tenait sous un charme étrange, je dirais même intensément satisfaisant.

— Hélène ?

J'ai compris que ce sourire les apeurait. Je me suis ressaisie, j'ai grimacé et fait mine de serrer les dents.

— Elle a du cran, cette petite, pour son âge, disait le médecin en continuant le soin... Elle a six ans ? Bravo...

Pour la deuxième fois de ma courte vie, j'ai

compris que ce que j'avais entrevu, trois ans auparavant, se vérifiait, s'avérait. J'avais perdu mon innocence.

La première fois, c'était pendant les fêtes de Noël. J'avais trouvé une peluche au pied du sapin – exactement celle dont je rêvais. Une panthère toute douce que je baptisai immédiatement Bigaro. J'adorais les peluches. Je les collectionnais. J'en avais une famille entière et peut-être pour compenser le refus systématique de m'offrir un chien que mon père m'opposait à chacun de mes anniversaires, chacune de mes fêtes et chacun de mes Noëls, arguant qu'un chien n'est pas fait pour vivre dans un appartement, il organisait, pendant mes heures scolaires, toute une mise en scène pour elles. J'abandonnais mes animaux bien rangés sur mon lit le matin. L'après-midi, en rentrant, je les retrouvais sur le balcon ou dans le salon. L'ours autour d'un peau de miel. Les chats devant la télévision. Les souris en pique-nique.

Ce Noël-là, en découvrant Bigaro, j'avais manifesté mon bonheur comme je savais le faire : avec excès, démonstrations, exubérance. Puis, à force de sauter, j'avais découvert que le sol du séjour, en carrelage, était extrêmement glissant. Je m'étais donc couchée sur le ventre et je tournoyais comme une folle, pour le seul plaisir de la glissade.

— Regarde comme elle est heureuse de son cadeau !

Mes parents interprétaient mon jeu comme une démonstration de joie. Alors, pour leur plaire, uniquement pour leur plaire, j'ai effectivement fait durer le bonheur, et j'ai continué de tourner en serrant contre moi la panthère de peluche. J'ai ri aux éclats jusqu'à ce que je comprenne soudain que quelque chose venait de basculer à jamais dans ma vie : je venais de simuler...

Je leur abandonnais une nouvelle fois, cet après-midi d'été, à Ghisonaccia, mon innocence. Pour leur cacher la nature de mon plaisir. Pour les protéger de moi, et des gouffres que je savais s'ouvrir dans mon âme. J'ai repris un air normal accompagné d'une petite grimace de douleur quand j'ai posé mon pied pansé sur le sol, et j'ai composé quelques larmes furtives pour harmoniser l'ensemble.

Quelques minutes plus tard, tout était oublié, mais c'est à partir de cette blessure que mes troubles ont commencé, tous mes troubles, et que l'inquiétude n'a plus quitté le cœur de mes parents quand ils en découvraient une manifestation.

2

Pour se transformer en loup-garou, il faut, impérativement lors d'une nuit de pleine lune, absorber un philtre composé d'aconit, d'opium et de sang de chauve-souris préparé dans une marmite de cuivre. Après s'être brossé la peau avec du savon noir, le candidat à cette métamorphose s'enduit tout le corps de la mixture magique, frotte longuement chaque centimètre de son épiderme qu'il couvre enfin d'une peau de loup fraîchement tué ; alors, les mains armées de griffes d'acier, il attaque d'autres hommes dont il mange la chair pour que la transmutation soit parfaite, complète.

Ainsi, sans doute, cette règle de sorcellerie fut le prélude à la terrifiante histoire de la Bête du Gévaudan, et encore à celles, moins connues, des Bêtes de l'Auxerrois et du Vivarais.

Cette dernière affaire, appelée aussi Bête du Gard ou des Cévennes, a duré huit ans, de 1808 à 1816. On ne tua jamais l'animal monstrueux, doté, selon les procès-verbaux, de grandes oreilles, d'un museau allongé et d'une longue queue fournie et, toujours d'après les témoignages, de longues mamelles traînantes. Cette dernière bête va tuer vingt-deux personnes, dont dix-neuf enfants de moins de douze ans ; six d'entre elles, fait étrange déjà souligné lors de l'affaire de la bête du Gévaudan, seront décapitées. Cette bête fait d'ailleurs preuve d'une suspecte témérité – elle entre dans les maisons pour dévorer ses victimes –, et d'une particulière curiosité – elle défait les épingles qui attachent les sous-vêtements de ses victimes féminines.

L'énigme posée par ces trois « bêtes » trouve sans aucun doute sa solution dans l'affaire Jean Grenier, jugé en 1604 à Bordeaux. Ce jeune Périgourdin de treize ans est accusé d'avoir tué et mangé cinquante enfants. Il avoue d'ailleurs sans être soumis à aucune pression ni torture, et abonde même dans les détails horribles.

Que raconte Jean Grenier ? Un homme, le « seigneur de la forêt », lui aurait donné autrefois une peau de loup et l'aurait frottée avec un onguent. Ainsi, loup-garou dès la nuit tombée, l'enfant s'est mis à attaquer ses congénères à la lisière des forêts, dans les taillis qui bordent les chemins. Un gamin passe ; il se rue sur lui, le tue à coup de couteau et dévore sa chair tiède et tendre...

Sans doute n'aurait-on rien su de ces crimes, sans doute ce lugubre événement aurait-il été classé au chapitre des énigmes de la petite histoire si Jean Grenier n'était tombé amoureux. Son cœur défaille quand il découvre, après l'avoir attaquée pour la dévorer, la beauté de Marguerite Poirier. Ému, il épargne finalement l'innocente. Elle court aussitôt témoigner de l'agression dont elle vient d'être victime. A-t-elle démasqué le coupable ? Non. Preuve que la croyance dans les loups-garous était profondément ancrée dans l'imaginaire collectif, Marguerite Poirier décrit la créature qui s'est jetée sur elle comme un animal immense, monstrueux et nanti d'un pelage roux...

Les battues s'intensifient, en vain. D'autres enfants disparaissent. On retrouve leurs restes atrocement mutilés dans les taillis et les bas-côtés des chemins sylvestres. Peut-être des dizaines d'autres enfants auraient-ils été mystérieusement dévorés sans qu'on découvre la vérité, comme au Gévaudan, si Jean Grenier s'était remis de ses langueurs d'amour. Mais le souvenir de la jeune fille, la tiédeur de sa peau dans ses mains, la palpitation de sa jeune poitrine sous ses dents, la fleur de sel de sa transpiration sur sa langue le hantent. Il veut Marguerite. Il veut qu'elle l'aime, qu'elle l'admire. Au village, elle ne le connaît hélas, ni ne le reconnaît. En revanche, la cour de ses admirateurs ne cesse d'enfler autour d'elle, à lui réclamer encore et encore le récit de son agression, de nouveaux détails sur les griffes de la bête, sur son haleine, ses yeux, ses poils. Marguerite frémit, Jean Grenier étouffe. Alors, pour séduire la jeune fille, Jean Grenier finit par lui vanter ses crimes, sûr qu'elle s'inclinera devant sa force et sous la pulsion d'un désir mêlé d'effroi.

Las ! Terrifiée, la jeune fille court dénoncer le monstre. Arrêté, puis jugé, Jean Grenier est accusé de lycanthropie. On le condamne à finir ses jours dans un monastère où les prières des moines ne le sauveront pas de sa folie : il vivra à perpétuité à quatre pattes et se nourrira exclusivement de viande crue.

***

C'est curieux, lorsqu'on me demande si j'ai été heureuse enfant, je réponds spontanément « oui », mais si je réfléchis vraiment à cette question, si je me replonge dans le souvenir de ce que j'étais alors, la réponse est non, résolument non. Objectivement, j'avais tout pour l'être. Pourtant, j'étouffais. Pas toujours, pas tout le temps. Simplement, mon enveloppe m'encombrait beaucoup. La conscience de mon enveloppe, de ce moi qui me limitait et d'où j'ai voulu tant de fois m'échapper. Un jour, sur le banc de l'école, appliquée à tracer de ma main gauche – ce qui faisait loucher ma voisine – les lettres que j'apprenais à dessiner, j'ai compris d'un seul coup, ou plutôt j'ai ressenti d'un seul coup ce « moi », mon « moi » qui concentrait toute mon énergie dans les limites de mon corps alors que je rêvais de débordements. J'ai ressenti, je m'en souviens, la pression de l'univers tout entier sur ma peau. Ce fut un moment inouï, fulgurant, bouleversant, une expérience de ma présence au monde que je me suis rappelée quelques saisons plus tard, lorsque j'ai fait connaissance, pour la première fois, avec le piano, mais alors j'ai vécu la sensation exactement inverse.

Cette première fois, à l'école, je me suis sentie

enfermée, en prison. Tout entière concentrée sur ce moi, j'ai réalisé que j'étais la frontière du monde et que, comme la jeune fille de la Haute Tour, je ne pouvais que contempler cette vie étalée partout sans la pénétrer : le cosmos et ces ciels dont je pressentais les nuits éternelles, champs, monts et océan ondoyant à l'infini horizontal dans un même vertige, et sous mes pieds, les terriers, la sève, les racines juteuses et le magma en fusion. Il s'agissait de bien davantage que de simples points cardinaux autour de moi, au-dessus et au-dessous de moi : il s'agissait d'un point de départ, le big-bang de ma conscience qui m'a toujours fait dire, surtout pour la musique, que chacun d'entre nous est une opération magique, qu'on fait rarement fausse route et que souvent on n'est simplement pas allé assez loin. Après tout, ce qui doit venir n'est pas tant à découvrir qu'à inventer...

Ce jour-là, à l'école, j'ai identifié pour la première fois ce violent désir d'être ailleurs, mieux, de retrouver un endroit idéal – comme si je l'avais connu auparavant ! J'ai regardé par la fenêtre le préau, les platanes, la main suspendue dans le dessin interrompu, concentrée sur la certitude que je pourrais déplacer mon corps dans mes regards, m'emporter avec eux.

Ce formidable besoin d'évasion ressuscitait parfois le soir, et presque toujours dans ma jouissance à céder aux vertiges. Pour m'endormir, je recherchais cette ivresse, cette sensation de chute en apesanteur. J'en avais une brusque envie et quand mes parents me disaient, après le dîner,

« Hélène, va te coucher, n'oublie pas de te laver les dents », je leur cachais mon sourire malin. Je me jetais sur mon lit, j'éteignais la lumière et je fermais les yeux très fort. Alors, brusquement, m'apparaissait une surface lisse mais couleur marron glacé, avec toutes sortes de pointillages de couleurs : bleu, mauve, jaune, vert. Des couleurs plutôt métalliques. Je focalisais toute mon attention sur ces pois lumineux et, enfin doucement, ma chambre basculait autour de moi. Je glissais, glissais, jusqu'à cette sensation jouissive de déboîtement à l'infini, je savais alors que je ne représentais plus rien, c'est-à-dire que j'étais sortie de moi, que mon enveloppe était vide et que ce rien était ce qui restait du monde hors de moi, et que ce reste était tout.

Longtemps, je n'ai pu m'endormir qu'en vivant l'ivresse du vide, du glissement dans le vide, en m'abonnant à cette chute en apesanteur. Un seul autre rituel pouvait m'ouvrir la porte de l'espace et me délivrer de ce sentiment d'oppression. Il suffisait que je récite, dans le noir, les prières que j'apprenais au catéchisme dans la journée. Je commençais par me les réciter avec un rythme en phase avec le contenu, puis je les ânonnais jusqu'à l'épuisement. Pour dire à Jésus que j'étais de tout cœur avec lui, et non pas avec cette foule qui criait à mort, j'articulais convulsivement le *Notre Père,* que j'enchaînais aux *Je vous salue Marie,* dans un rythme incantatoire, par rosaires entiers, puis par chapelets, puis par séries de chapelets, poings et yeux fermés, martelant les versets dans mon lit, dans l'attente de je ne sais quelle révélation. Ainsi, l'action se transposait dans le rythme et la mélodie portait la pensée, la radicalisait.

Quelques semaines après avoir éprouvé cette ivresse du récitatif, j'ai commencé à tenter de réciter le *Je vous salue Marie* et le *Notre Père* le plus longtemps possible, pour épuiser la notion d'infini. J'instaurais des rythmes et des phrases, trois par trois, trois *Je vous salue Marie* puis trois *Notre père*, puis sept par sept. Lorsque ma diction ou mon intonation ne me plaisaient pas, lorsque j'estimais que j'avais fauté, baissé dans l'excellence et dans la progression, je recommençais à zéro. Je pouvais recommencer des heures avant d'être satisfaite, c'était pathologique. Parfois, l'aube me trouvait, épuisée, endormie sauf mes lèvres animées toujours du mouvement de la prononciation « pleine de grâce », « le Seigneur est avec vous », « maintenan-téaleur-de-notre-mort ». Vraiment, mes lèvres bougeaient seules, articulées par cette série de syllabes, comme ces cocottes en papier que les filles fabriquent dans les cours de récréation et dont elles encapuchonnent leurs doigts.

J'ignore, aujourd'hui, si c'est le contenu de la foi ou le rythme des prières qui me plaisaient le plus, mais ces récitatifs ont marqué le début de mon travail mental en musique. La révélation est partie de là, de cette habitude, de cette pratique de récitation qui m'a sauvée de l'ennui et, sans doute, de l'échec.

Le déclic opéra plusieurs années plus tard. Un soir, à Paris, veille d'examen au Conservatoire, rongée par le doute, je n'arrivais pas à travailler. J'avais une pièce de Charpentier à apprendre.

Une pièce qui m'ennuyait et que ma mémoire refusait d'enregistrer. Avec ce travail, c'était toute ma présence dans cette ville et au Conservatoire, ainsi que mon avenir tout entier qui me paraissaient compliqués, diffus, noyés dans une incertitude glauque. De nouveau, le vieux sentiment d'oppression, d'être d'ailleurs serrait ma gorge même si j'avais envie de continuer. Mais je ne pouvais pas ; le corps et l'esprit plombés, je ne parvenais pas à franchir cet obstacle.

J'ai fini par aller me coucher. Je voulais me préparer à l'échec qui m'attendait à coup sûr le lendemain. J'ai fermé les yeux et puis, brusquement, d'un seul coup, la pratique de la prière m'est revenue sauf que je ne récitais plus des « pleine de grâce » mais toute la partition de Charpentier que je scannais, et que je me répétais comme autrefois les *Notre Père*, jusqu'à ce que le rythme et l'intonation soient satisfaisants. La prière m'avait enseigné à dresser devant moi, comme au spectacle, en images et en couleurs, tout ce dont je devais m'imprégner.

Le lendemain, j'ai joué cette œuvre avec brio, dans une totale maîtrise, avec une extrême clarté. J'ai compris que se souvenir, c'est aussi inventer. La mémoire est l'art magique de la composition.

***

En septembre 1731, une silhouette étrange, accroupie, attire le regard d'un berger de Songy. L'individu sautille d'un cep de vigne à l'autre, derrière lesquels il se cache. Le berger s'approche et découvre avec stupeur une jeune fille hirsute, occupée à écorcher les grenouilles qu'elle avale accompagnées de feuilles d'arbre. Quand il la prend par la main, la jeune fille n'oppose pas de résistance. Le berger amène sa découverte au château et M. d'Épinoy, le seigneur de Songy, donne l'ordre au berger de loger la fillette et d'en prendre soin.

Pendant les semaines qui suivent, M. d'Épinoy étudie l'énergumène que le berger conduit chaque jour à la demeure seigneuriale. Il la suit lorsqu'elle pêche les grenouilles, sa pitance préférée dans les douves et les fossés, l'étudie quand elle cherche des racines au jardin et les préfère aux laitues ou aux petits pois sucrés ; surtout, il invite le ban et l'arrière-ban à venir applaudir cette nouvelle attraction. « On remarquait que tout ce qu'elle mangeait, elle le mangeait cru, relate un témoin dans *Le Mercure de France* paru le 9 décembre 1731, ainsi que les lapins qu'elle dépouillait avec ses doigts aussi habilement qu'un cuisinier ; on la voyait grimper sur les arbres plus facilement que les plus agiles bûcherons ; quand elle était en haut, elle contrefaisait le chant de différents oiseaux de son pays. »

Elle avait dix-huit ans, parlait un incompréhensible sabir, buvait en lapant comme une vache, refusait les mets cuits mais savait broder au petit point avec une extrême finesse.

La contradiction barbare-raffiné fait des ravages. L'exotisme de cette femme animale enthousiasme. Pour un peu, M. d'Épinoy dresserait un chapiteau pour produire son phénomène. La renommée est telle que l'évêque de Châlons s'émeut. La jeune femme n'est pas un singe savant ! Elle mérite de recevoir une éducation, des soins, une culture religieuse. Le 30 octobre, M. l'Intendant ordonne qu'on la place à l'Hôpital général pour l'humaniser tout à fait. On la baptise Marie-Angélique Memmie ; les sœurs lui interdisent la viande crue, toute pérégrination nue, l'usage de borborygmes pour s'exprimer et toute incursion dans les branches d'arbre. Mais la clôture n'empêche pas la légende de se répandre. Le roi et la reine de Pologne ainsi que l'archevêque de Vienne ont ouï dire de la jeune fille. Des souverains ! On ne leur résiste pas, on ne leur refuse rien : on leur présente Marie-Angélique ; pour eux, elle dépouille un lapereau qu'elle dévore cru, arrache ses vêtements et plonge dans un fossé pour y faire un beau carnage de grenouilles et de vers frétillants.

La reine de Pologne est folle de joie et écrit aussitôt à sa fille, Marie Leszczynska, épouse de Louis XV, pour lui recommander de faire venir le phénomène à ses côtés : chose faite, Marie-Angélique est transférée dans un couvent de la rive gauche puis, nantie d'une modeste rente, installée dans un petit appartement parisien ; là, elle reçoit la visite du poète Louis Racine, de Lord Monboddo et du savant Charles Marie de La Condamine. Son cas est devenu sujet d'étude. Linné, pour elle, invente une espèce infra-humaine : l'*homo ferus* (homme sauvage), juste au-dessus des orangs-outans. Convaincu, Lord Monboddo, qui a étudié Marie-Angélique de près, abonde en son sens : « Les orangs-outans et les enfants sauvages n'ont besoin que d'instruction pour apprendre à parler. »

Buffon se réjouit de l'expérience. Grâce à cette jeune femme, « sauvage absolument sauvage », « l'état de pure nature est un état connu ».

Marie-Angélique perd ses dents et ses cheveux, dépérit dans son réduit parisien mais alimente, sans le savoir, le grand débat des Lumières. L'homme est-il naturellement bon, comme le soutient Denis Diderot ? Ou n'est-il bon que par polissage et éducation, mais radicalement sauvage et méchant à son état naturel, corrompu par le péché originel, comme l'affirme Louis Racine ? Le poète janséniste appuie sa démonstration sur les pulsions carnivores – donc cannibales – de Marie-Angélique version femme des cavernes. Les rousseauistes s'emparent de la polémique ; Marie-Angélique incarne le bien-fondé de leur philosophie : l'éducation réussie révèle le potentiel d'une nature fondamentalement bonne. Le débat n'en finit pas de rebondir, Marie-Angélique de s'étioler. Elle meurt dans l'oubli le plus total, détrônée par la découverte de Victor de l'Aveyron, l'autre enfant sauvage qui aura le plus défrayé l'imagination.

Quant au débat sur la bonté de la nature ou la perversion de l'éducation, il passera de mode. La lecture « religieuse » totalement réfutée, les questions des rapports de l'homme à l'éducation et à la nature seront désormais décodées par la psychanalyse...

Un exemple ? *L'Homme aux loups* de Freud.

***

« L'amour ressemble fort à une torture ou à une opération chirurgicale », écrit Baudelaire. À l'époque, j'ignorais cet aphorisme. Mais je le pratiquais. J'aimais passionnément la vie, le monde. Je voulais donc les sentir au plus profond de ma chair. J'en avais fait l'expérience pour la première fois en Corse avec cette petite opération chirurgicale, lorsque le médecin avait recousu mon talon blessé par un tesson de bouteille. Cette douleur délicieuse m'avait fait exister plus que tout autre chose, m'avait inscrite dans un lieu, un temps ; elle m'avait révélée. J'avais accédé à la vie par un consentement de tout mon être à cette blessure.

La première fois que l'expérience s'est renouvelée, ce fut accidentel. Une chute sur un chemin gravillonné. Mon genou brûlait. La pulpe de ma chair apparaissait sous les gouttes de sang. Je me suis assise sur le bord du chemin et j'ai contemplé la rotule écorchée à l'ourlet du bermuda. J'ai ramené mes deux jambes sous mon menton. J'ai cligné des yeux pour observer de plus près cette partie de mon corps qui frémissait chaque fois que le frisson du vent l'effleurait. Le vent tombait ? Je soufflais sur ma peau pour aviver la douleur. Je me rappelle avoir pensé que la vie se frottait à moi et qu'ainsi je la percevais avec une évidence particulièrement vive, élémentaire et substantielle. Et puis je trouvais magnifique de porter, à mon tour, ces blessures aux genoux ou aux coudes, cette géographie de croûtes brunes qui disent, comme une rosette au revers d'une veste, les exploits inouïs et les aptitudes aux envols de l'enfance : sauts dans les ruisseaux, cavalcades dans les ruelles, décollages sur planches à roulettes ou envols dans la mâture des grands platanes. Le « bobo » fleurit aux membres comme autant de décorations ; il est l'orgueil d'un âge où le monde est encore un territoire à conquérir et où le temps se conjugue exclusivement au présent.

Je me suis mise à aimer ces blessures, à caresser ces croûtes, à glisser le bout de mon index sur cette surface bombée, dure et luisante comme une carapace de hanneton. J'ai aimé les soulever doucement, contempler, sous elles, le rose tendre de la peau, puis tirer d'un coup sec ; soit la peau saignait encore (« Ah, Nanou, tu vas garder des cicatrices ! »), soit elle révélait un petit continent pâle, encore sensible.

Je ne sais plus si c'est par désir de symétrie, ou par besoin de retrouver, avec la même intensité et le même plaisir, la douleur jouissive de l'aiguille qui me recousait, mais j'ai fini par ressentir le besoin de blesser l'autre côté de mon corps, de façon à rester harmonieuse. Je voulais la même constellation de croûtes sur les deux genoux, les mêmes taillades sur les doigts, les mêmes brûlures sur les deux mains. Une blessure sur un seul coude et, comme le funambule sur son câble, j'étais privée de mon balancier, je perdais l'équilibre, mon précieux équilibre au monde, ma cohérence ; mon corps boitait.

Il ne s'agissait pas d'une nouvelle tocade : aussi loin que je me souvienne, j'ai toujours éprouvé ce besoin de symétrie autour de moi. Aussi, quand je me coupais à la main droite, immédiatement, je tailladais la gauche. Une peau dépassait d'un ongle, je l'arrachais jusqu'au vif et j'attaquais l'autre main ensuite. Je rêvais de fractures. Lorsque ma mère était absente, je courais à la salle de bains entourer mes poignets ou mes chevilles de bandes Velpeau.

Mon territoire subissait la même mise au carré. Sur mon bureau, il fallait autant de crayons également répartis de chaque côté de mes livres et mes livres disposés à même distance autour de mon cahier.

Dans ma chambre, dès que j'ai pu bouger des meubles, j'ai placé ma table exactement au milieu du mur. Je pouvais, pendant des heures, refaire un lacet de ma chaussure pour qu'il soit exactement jumeau de l'autre, et chercher des techniques de laçage pour assurer, dès la première tentative, un nœud identique au premier. Et si, vers l'âge de treize ans, mon désir de m'infliger des stigmates artificiels a soudain cessé, la manie de la symétrie m'a préoccupée beaucoup plus longtemps. Lorsque j'ai commencé à donner des concerts à l'étranger, j'ai passé des heures à réorganiser l'ameublement de mes chambres d'hôtel, dans les salles de bains, et chez moi, dans mes placards, à refaire interminablement la pile de mes vêtements en tentant de conjuguer les couleurs et les tailles, de décliner les matières et les coupes. Lorsque je rentrais après le concert, j'évitais d'allumer la lumière, certaine que la femme de ménage de l'hôtel avait déplacé mon savant et précieux agencement des choses. Dans le noir, à tâtons, je poussais de quelques centimètres le cendrier, recadrais le sous-main aux armes de l'établissement ; d'instinct, les yeux fermés, je redressais le socle de la télévision pour qu'elle fût exactement parallèle au mur, et non disposée pour m'éviter un torticolis si je voulais la regarder du lit. Quelle que fut ma fatigue, je pouvais passer une heure entière à repeigner la chambre, la salle de bains, les serviettes, mes affaires sur le lavabo. Sans cet exercice, j'étais incapable de m'endormir. Signe du destin ? Des dauphins m'ont délivrée de cette obsession. Des dauphins dessinés sur un chandail que j'aimais particulièrement et qui me suivait partout. Comme d'habitude, je l'avais rangé dans ma valise avant mon départ pour une tournée au Japon. Je logeais à l'hôtel Takanawa, à Tokyo. J'étais épuisée et pourtant, malgré cette extrême fatigue, je venais de passer plus d'une heure à refaire, règle en main, le pliage de ce pull-over. Il fallait qu'il fût parfait, avec exactement le même nombre de dauphins de chaque côté du pli, sans qu'un millimètre ne différencie le côté gauche du droit, le haut du bas. Cet acharnement tournait à la folie. Alors soudain, pourquoi à cet instant ? j'ai attrapé le pull, j'ai ouvert la fenêtre et je l'ai lancé dans le vide.

J'aurais été atteinte, selon les manuels de médecine, de TOC, troubles obsessionnels compulsifs.

Bien plus tard, j'ai compris que cette obsession d'une symétrie des choses, jusque dans les blessures qui chagrinaient tant mes parents et que les maîtresses d'école jugeaient tellement « in-quiétante », trahissait tout simplement une aspiration plus fondamentale : la recherche d'un équilibre, de l'équilibre de tout mon être dans le monde et l'univers. J'étais, en fait, en quête de mon centre de gravité, ce point exact qui appartient à chacun et définit sa place, hors de toute douleur et de toute frustration – le lieu de son accomplissement.

Il me fallait mes points cardinaux, mon égale distance entre mon nord et mon sud, mon orient et mon occident. Et au-dessus de ma tête, trouver mon ciel et sous mes pieds ma terre – de quelle essence, je ne le savais pas encore –, et dans chaque paume non pas ces stigmates dont je rêvais lorsque ma mère me contait ceux de Padre Pio et qui font rejaillir le sang comme deux sources, deux fontaines de joie pure, non pas ces stigmates donc, mais deux éléments contradictoires, opposés et dont je pouvais devenir l'alliance, le trait d'union, la synthèse parfaite, la réconciliation.

***

Selon Isaac le Syrien, Dieu a créé les anges en silence et, posé sur la limite du spirituel et du sensible, l'homme. L'homme qui réunit en lui tous les plans de l'univers, et pour cela compose « l'unique harmonie constituée de sons différents ». Selon lui encore, l'être humain est un être cosmique ; il ne se détache pas sur cet arrière-fond mais en fait partie. Et c'est la pulsation de cette vie cosmique qui explique une partie de son être.

***

La faute ? Nous l'avons tous commise. Le sentiment de faute ? Tous, nous l'avons éprouvé. Cette sensation de honte intense qui vous rabougrit l'âme. Pour moi, ce fut le jour où ma voisine m'a surprise en train de me blesser. J'avais laissé ouverte la porte de ma chambre. Elle est passée sans bruit. Elle m'a vue. Nos regards se sont croisés. J'ai compris ce qu'Ève avait dû éprouver quand le Ciel s'est ouvert au Paradis pour qu'y gronde la colère de Dieu et alors, son désir violent de se couvrir, de disparaître, de se dissoudre. J'ai caché ma main derrière mon dos. Elle n'a rien dit, mais la pâleur extrême de son visage, ses yeux devenus papillons affolés, m'ont frappée au cœur.

Malgré toutes mes précautions, ma mère avait découvert mes manies obsessionnelles. Évidemment, les nombreux pansements dont j'entourais mes blessures attiraient l'œil, et particulièrement le sien. Si elle s'en est ouvertement inquiétée auprès de moi dans un premier temps, « Mais c'est tellement bizarre, Hélène » (et j'ai deviné que « bizarre » était un bel exemple de litote), ensuite, elle ne m'a plus rien dit. Elle n'en a plus parlé, mais elle n'a plus cessé de m'observer.

Alors ont commencé les visites à mes institutrices et les inscriptions à des cours divers : danse, judo, tennis. Les premiers m'ont très vite ennuyée, sans que je traîne les pieds pour m'y rendre. Le tennis, dernière tentative sportive, m'a davantage amusée ; pour autant, ni les blessures volontaires, ni les rangements obsessionnels n'ont disparu.

— Un excès d'énergie psychique plus que physique ?

C'est mon père qui a émis le premier cette hypothèse, après l'échec de toutes ces entreprises d'épanouissement.

— Et si on inscrivait Hélène à un cours de musique ?

On lui avait parlé d'heures d'initiation musicale pour de très jeunes enfants que donnait Françoise Tarit, dans le centre d'Aix. Le lendemain, j'étais chez elle.

Avant toute chose, le lieu m'a ravie. À l'étage, dans l'une de ces vieilles maisons provençales d'une austère douceur, blondes de pierre et baignées de l'âcre parfum des platanes, une grande pièce, haute de plafond, recelait un seul instrument : un piano. Il luisait dans l'or de cette fin d'après-midi et son reflet dans les tomettes cirées ondoyait doucement. Mon père parlait à cette femme qui, de temps en temps, me jetait un coup d'œil. Puis elle m'a dit : « Viens et écoute. »

Elle s'est mise au piano et elle a joué une petite pièce de Schumann. Et, comme le génie se déploie hors de la lampe lorsque Aladin la frotte, toute une magique atmosphère a habité ce salon de musique. Comme à travers le rêve, des choses qui viennent de très loin sont remontées en moi, ou plutôt sont nées du tréfonds, du plus lointain intérieur. Je me souviens, comme si c'était hier, de l'enchantement que j'ai éprouvé ; je me souviens d'avoir eu l'impression d'être agrippée par l'idée d'infini qu'évoque la musique, d'avoir eu l'impression physique d'une ouverture, l'impression qu'une voie s'ouvrait devant moi, comme si une porte creusait le mur et qu'un chemin s'en échappait, lumineux et droit vers une harmonieuse révélation. Je me souviens d'avoir respiré plus largement, plus profondément.

Mon père est convenu d'une demi-heure de cours par semaine, avec d'autres enfants. Ensemble, pendant ces séances d'initiation, nous nous exercions au chant, aux percussions. Françoise Tarit testait notre oreille, notre sens du rythme, et tout simplement notre envie de musique. Au bout de deux semaines, un soir que mon père venait me chercher, elle l'a pris à part :

— Hélène a vraiment un don. Vous devriez lui faire commencer le piano. À mon avis, ça mènera quelque part. Si vous êtes d'accord, je vous indiquerai l'adresse d'un professeur qui prépare au Conservatoire.

C'est à mon père que je dois d'avoir commencé la musique. Ma mère, elle, freinait ; l'idée la rebutait. Elle craignait que la musique m'enferme un peu plus et m'écarte définitivement de la société des autres enfants. Mon père a insisté... et il a gagné. Deux heures plus tard, un loueur installait à la maison un piano droit et, l'adresse de Jacqueline Courtin en poche, mon père prenait rendez-vous avec elle. J'avais sept ans à peine. L'aventure commençait.

La musique m'a correspondu, parce que je crois que pour être musicien, il faut être compulsif, il y a une compulsion innée, comme dans n'importe quelle activité qui demande une recherche de perfection. J'imagine que tous les enfants qui pratiquent un instrument ou un sport ont cela en eux. Il faut d'emblée posséder une certaine suite dans les idées, presque maladive, en même temps une certaine exubérance, une force de communication expressive.

Je crois même que c'est pour cette force de communication que j'aimais les chiens, tous les chiens. Ripp, le berger allemand gris de mon arrière-grand-père que j'adorais, et Rock, le chien de notre voisine ; je me réjouissais, tous les jours, d'aller le promener et le laissais conduire mes pas, tirée par sa laisse de cuir rouge. Il m'entraînait d'un appartement à l'autre, chez les résidants de notre immeuble, en grande majorité des vieilles dames seules. Je me réservais le dernier passage pour le couple de retraités et leur fille, des amours tous les trois chez qui j'entrais en trombe, Rock virevoltant comme une toupie et moi, échevelée, expansive, pendue au cou de ces trois-là que j'aimais comme une autre famille. Deux chiens fous en fait, bousculant l'air, allumant sur leur passage des rais de particules phosphorescentes dans la lumière qui tombait des persiennes.

Ce soir-là, lorsque Jacqueline Courtin a accepté de me prendre comme élève, j'ai couru le leur dire – en parler entretenait mon bonheur et jugulait mon impatience à pousser la porte du jardinet de mon professeur, à caresser son grand chien qui, je crois, lui faisait un peu peur et surtout, surtout jouer de cet instrument.

J'ai commencé tout de suite le piano. Jouer m'a paru parfaitement naturel, un prolongement de mon être. Jacqueline Courtin avait une façon très particulière, très intelligente de nous faire travailler. Elle conjuguait la théorie – solfège, partitions – et la pratique. Alors, le plaisir tactile de jouer, de chercher en soi l'émotion que jamais, nulle part ni d'aucune manière je n'avais pu exprimer, ni amener à son paroxysme, ce plaisir délicieux me comblait. J'éprouvais en même temps le bonheur de traduire mes sentiments et d'en recevoir l'écho par la magie de ces touches noires et blanches, de respirer en une parfaite présence. J'avais le sentiment physique d'être englobée par la musique.

Jamais mes parents n'ont eu à me dire « Hélène, travaille ton piano », « Hélène, tes gammes », « Hélène, tes répétitions », « Hélène ! »

Bien au contraire. Je me suis immédiatement et totalement investie dans la musique parce que la musique me donnait du plaisir. Cette heure de piano était l'heure bleue de ma semaine. Je rêvais encore d'être vétérinaire, ou avocate – pour redresser les torts. Mais avec le piano, j'allais de plaisir en bonheur, de découvertes en révélations, de joies en expériences physiques de la liberté. Ainsi, un jour, j'ai pu lire les études de Chopin et en jouer certaines. Comment expliquer ce sentiment ? Ces petits dessins, ces notes rébarbatives sur des portées, cet alphabet mystérieux dressé comme un mur pour emprisonner l'intelligence révélaient d'un seul coup leur secret. J'avais la pierre philosophale pour transmuter l'encre et le papier en une architecture mélodieuse, un monde profond, doux et fort, et ce jour-là j'ai vécu physiquement le mot accord, l'accord plaqué sur le piano, cette dissymétrie du jeu de mes mains pourvoyeuses pourtant de notes et qui donnaient l'harmonie parfaite, et m'élevaient par les degrés d'un ordre merveilleux. J'enfantais un nouveau verbe. Je volais.

J'ai été tellement heureuse, tellement ébahie, que j'ai couru chez mes voisins, « Venez vite, venez vite », comme si un événement extraordinaire venait de se produire, comme si j'avais soulevé une feuille de cerisier et trouvé, en guise de fruit, le chant d'or du rossignol. Ils se sont assis autour de moi, graves, étonnés, hochant doucement la tête malgré les fautes d'interprétation et ils m'ont dit : « C'est très beau, Hélène. » Ils ont été mon premier public.

J'avais sept ans bien sonnés, « l'âge de raison », et une approche absolument sensuelle, charnelle de l'instrument. Si forte que par deux fois j'ai préféré le violoncelle au piano, parce que cet instrument à cordes impliquait une étreinte physique totale ; je me rappelle au Conservatoire d'Aix mon émotion à la vue d'une petite fille penchée sur ce violoncelle, les tempes posées sur l'ambe, son poignet gracile et souple comme une tige de fleur ondoyant à chaque mouvement de l'archet et ses doigts en clé de sol sur les cordes. Je me suis emparée du violoncelle à mon tour et le contact a failli être fatal.

J'avais sept ans bien sonnés, et je pénétrais dans la musique avec ma manière de connaissance intuitive : une communication directe avec l'évidence. Celle de la nature, celle de la musique, que l'on ne peut comprendre qu'en les laissant toutes les deux se développer intérieurement en leur intégrité. L'intuition est l'incarnation la moins entravée de la nature, l'expression d'une force vitale où les sens s'élèvent, s'aiguisent. Je n'ai jamais, pour autant, rejeté la raison, cette petite voix intérieure, malicieuse, bienfaisante parfois, malfaisante également, mais toujours la bienvenue. Je ne la rejette pas, mais elle ne fait qu'occuper le deuxième plan.

Ce jour-là, chez moi, avec mes voisins pour m'écouter, j'ai senti la musique s'emparer de l'espace, devenir espace elle-même et après elle, au cours de la pause qui a succédé au dernier accord, tout résonnait enfin autour de moi de façon gaie, heureuse. Évidente.

J'avais déjà ressenti cette force en écoutant la *Cinquième Symphonie* de Beethoven par Karajan. À l'époque, j'étais totalement imbibée du monde de Dumas, et plus particulièrement des personnages du comte de Monte-Cristo. J'écoutais et m'apparaissait le fantôme du château d'If en armure. Je me souviens très bien des mouvements de cette symphonie, et de moi, me balançant ; alors la prison sublime que la mer enveloppe, le rugissement des vagues dans le même mouvement que celui de la musique et celui de mon corps pendulaire et cette violence qui ravissait mon âme, m'ont entraînée dans ce tourbillon sonore vers les abysses.

Je crois que c'est à cet instant que j'ai compris que les véritables abîmes sont au ciel, ceux du ciel, et de là, par là, les vrais vertiges aussi.

***

On s'intéresse de plus en plus aux facultés psy dont certaines personnes sont douées. Ce sixième sens, cette intuition, qui permettrait à certains de pressentir l'avenir, de deviner les pensées d'autrui, de saisir des liens secrets entre la mort et la vie. Est-ce parce que rien n'a perverti leur caractère ? Beaucoup d'animaux ont manifesté les mêmes facultés. Et l'histoire fourmille de ces cas.

Ainsi, Louis XI avait racheté à son maître l'âne Brunot qui prédisait la pluie et le beau temps.

Les poissons rouges de l'empereur du Japon lui signalèrent en 1923, par leur comportement frénétique, puis en se jetant hors de leur bocal, l'imminence d'un séisme.

Les chiens de Hiroshima ont hurlé tous ensemble, à la mort, quelques heures avant l'arrivée des bombardiers.

À Fribourg, le 24 novembre 1944, un canard que les gardiens surveillaient pour l'étrangeté de ses comportements prémonitoires se mit à cancaner furieusement et à tenter, par tous moyens, de s'échapper. Avertie, une bonne partie de la population se mit à courir avec lui, hors de la ville. Trente minutes après leur départ, la pluie de feu des bombardements anéantissait quelque trente mille habitants et le centre de la ville.

En Espagne, malgré les coups de fouet du cocher, un cheval refuse de pénétrer dans un tunnel de montagnes. Derrière l'attelage, les automobilistes klaxonnent frénétiquement. Peine perdue : bien que certains chauffeurs soient descendus de leurs véhicules pour tirer à hue et à dia l'animal récalcitrant vers le bas-côté, le cheval ne bouge pas. Et pour cause : quelques instants plus tard, le tunnel s'écroule.

Six mois avant le déménagement des Halles du centre de la capitale, deux millions de rats, inexplicablement avertis, prennent la direction de Rungis, la nouvelle adresse du ventre de Paris.

Pendant des semaines, le chat de Winston Churchill ne quitte pas le lit où, malade, son maître attend l'amélioration que les médecins lui ont prédite. La guérison est déclarée imminente. Quelques heures plus tard, le chat pousse un miaulement terrible et, bondissant, se met à fuir la chambre. Churchill meurt le lendemain.

Agacé par les gémissements permanents de son caniche Baron, Victor Hugo en fait cadeau à son ami, le marquis de Faletans qui partait en poste à Moscou. Le diplomate adopte le chien et, régulièrement, transmet de ses nouvelles à l'écrivain. Jusqu'au jour où Baron disparaît. Malgré les avis de recherche et les promesses de récompense, personne ne le retrouve. Quelques mois plus tard, Baron, maigre, les pattes en sang, grattait à la porte du domicile de Victor Hugo. Il avait parcouru quatre mille kilomètres pour retrouver son maître...

Et que dire de Mohilov, le chien du duc d'Enghien, qu'il faut entraîner de force loin de son maître emmené, pour y être exécuté, dans les fossés de Vincennes ? Dès qu'il est relâché, le chien court à perdre haleine, trouve seul le chemin du cimetière et, en gémissant, il se couche sur la tombe du duc. Sans doute y serait-il mort si un ami du duc d'Enghien n'avait stipulé, par voie testamentaire, qu'on prenne le plus grand soin de son fidèle, du plus fidèle de ses compagnons...

3

Et puis je l'ai rencontré. Jusqu'à ce jour, ce nom, que j'entendais prononcer au Conservatoire d'Aix où j'avais été reçue, flottait dans une aura de respect et d'admiration. On prononçait Barbizet et tout était dit, l'excellence, l'affection, l'admiration, le respect.

— Hélène, je vais t'emmener à Marseille où Pierre Barbizet accepte de t'auditionner.

J'avais onze ans. Le piano occupait mon âme. Il n'avait pas soigné mes troubles encore. Plusieurs fois, j'avais essayé par jeu mental de mettre ma volonté à l'épreuve, d'éprouver le contrôle de mon esprit sur cette pulsion. En pure perte. Malgré tout, je jouais avec passion : j'adorais ça. Je me jetais sur les partitions que je dévorais comme les livres, quoique le contact fût plus physique avec la musique. Il m'arrivait, sans approcher l'instrument, de ressentir en imagination quel toucher, quel poids il fallait imprimer au clavier pour qu'il sonne de manière juste. J'ai conservé ce pouvoir ; je l'ai d'ailleurs spécialement exercé pour le *Premier Concerto* de Brahms, le *Quatrième* de Beethoven et la fugue de l'*Opus 110.*

Ainsi, j'avais travaillé avec un fol enthousiasme et sauté plusieurs classes. À onze ans, j'avais quasiment achevé le cursus normal. Dix-huit mois encore, et ce serait fini.

En parallèle du conservatoire, je continuais de répéter avec Jacqueline Courtin ; il n'est pas une fois où mon cœur n'ait battu en poussant le portail de son jardinet, pas une fois où mes poumons ne se soient pas remplis d'un pur oxygène en approchant sa porte. Son chien gambadait autour de moi et quelle que fût la saison, il y avait toujours une fleur prête à s'ouvrir sous ses fenêtres. J'étais son élève et, effectivement, elle m'élevait degré après degré, de ma simple condition de petite fille au magique état de musicienne. C'est elle qui avait pris contact avec le conservatoire de Marseille dont Pierre Barbizet était le directeur.

— Il est très gentil, tu verras. Je t'accompagnerai à Marseille.

Hormis pour de courtes vacances et toujours avec mes parents, je n'avais jamais quitté Aix. La ville était un univers qui m'était parfaitement inconnu. Bien que Marseille fût notre capitale, nous lui tournions systématiquement le dos pour les grandes vacances. Au contraire de beaucoup d'Aixois, nous préférions la montagne à la mer et depuis que j'avais commencé le piano, nous passions nos vacances d'été dans les Alpes. J'en aimais les conifères sombres, les rochers, l'idée d'élévation, le subtil dégradé de végétation au fur et à mesure de l'ascension et l'air qui se raréfie :

j'avais, physiquement, l'impression d'une désincarnation ultime de la nature. En marchant et en montant vers les cimes, j'assistais à la disparition progressive de toute urbanisation. Plus de villages, puis plus de fermes, plus de routes ni même de poteaux électriques, mais à perte de vue un paysage entier dans lequel j'éprouvais avec délices ma solitude, ce lieu essentiel où je pouvais être moi-même, avec moi-même et venir au monde – toujours, c'est dans la solitude que la réalité, pour moi, a pris forme sous le signe du désir ; et c'est dans la solitude que j'ai appris que ce n'est que ce qu'on désire de soi à soi qui tend vraiment à être réel...

Pour me préparer à cette audition, Jacqueline Courtin m'avait fait travailler une pièce de Schumann, *Les Papillons,* le premier mouvement de la sonate *Waldstein* de Beethoven et la *Cinquième Barcarolle* de Gabriel Fauré.

D'emblée, j'ai été happée par la merveilleuse sympathie, l'empathie qui existait entre Pierre Barbizet et la musique. Deux ou trois fois, il est intervenu pour me donner des indications de jeu inédites, ou m'encourager. Mes trois morceaux exécutés, nous avons repris un passage ou deux. Il n'interrompait pas mon jeu mais le guidait ; sa voix un peu gouailleuse chantait. En fait, c'était comme si sa voix précédait la partition et m'ouvrait des chemins nouveaux, incroyables de possibles, de dimensions insoupçonnées.

Aux derniers accords de Fauré, je me suis tournée vers lui et, radieuse, je lui ai dit que je venais de vivre le plus beau moment de ma vie.

— Si tu continues à jouer comme ça, il y en aura beaucoup d'autres, a-t-il rétorqué.

Et d'ajouter aussitôt à l'adresse de mes parents :

— Votre fille est faite pour le piano. Ce sera sa vie ; laissez-la faire, encouragez-la, et préparez-la au concours d'entrée du Conservatoire de Paris.

Ils étaient dans la salle, heureux, solaires, aux côtés de Jacqueline Courtin, radieuse. Nous le regardions ensemble.

La vie avait signé son visage comme une œuvre magistrale et composé ses rides de rires infinis. Je l'ai tout de suite adoré. Non pour ce qu'il venait de dire : viscéralement, je savais que la musique et moi ne nous séparerions pas, qu'elle me structurait, que mes fibres la réclamaient même si je n'avais jamais pensé que la musique pût être toute ma vie ; à côté d'elle, restaient toujours cette attente, ce sentiment d'insatisfaction, les vertiges. Mais que Pierre Barbizet le formulât ainsi m'a instillé une énergie formidable.

Dans la voiture du retour, j'écoutais mes parents discuter avec Jacqueline Courtin. Devait-on me présenter, ou pas, au Conservatoire national ? Il était question de mon emploi du temps pendant l'année qui allait suivre. Pierre Barbizet acceptait de me donner des cours pour me préparer, avec Jacqueline Courtin, à cet examen. Mais quel jour de la semaine ? Quelle semaine du mois ? L'accélération subite des événements, le tour que prenait cette dernière activité extrascolaire perturbaient ma mère. Je la sentais réticente. Même si je ne sacrifiais rien de l'école aux études musicales, même si à cette époque, je ne passais pas plus de quatre heures derrière mon piano quoiqu'il occupât tous mes loisirs, je ne partageais ce temps avec aucun camarade, je n'avais noué aucune amitié au Conservatoire.

J'avais toujours été très proche de ma mère ; nous partagions cette attirance pour le monde du non-dit, du non-visité. Nous étions capables de fous rires interminables, de plaisanteries drolatiques qui me plongeaient dans de nouveaux hoquets de rire, dans cette sensation d'absurdité totale que j'adorais. Mais là, à cet instant, quelque chose de moi lui échappait. Allait-elle confondre le piano et mes troubles compulsifs, les ranger dans la même catégorie, comme substances dangereuses pour mon équilibre ? Enfin, alors que la voiture ralentissait pour déposer Jacqueline Courtin chez elle, mon père a tranché. Son esprit cartésien, épris de rationalité, son univers mental quasi mathématique et sa soif de rigueur s'ils m'intimidaient, avaient su peser le pour et contre. Il avait mis ses craintes de côté ; sans états d'âme, il avait compris ce que la musique m'apportait et combien elle me rendait heureuse. C'était entendu : j'irais à Marseille une fois par mois pendant un an, et nous verrions bien.

Pendant le trajet qui séparait la maison de Jacqueline de notre résidence, bien rencognée dans la banquette arrière, je n'ai pas cessé de sourire. Il me tardait d'aller tout raconter à mes voisins, de partager ma joie avec Rock, de me mettre au piano. J'ai croisé le regard de mon père dans le rétroviseur. Il m'a souri à son tour. À cet instant, j'ai compris que si ma mère était mon inspiration, mon père était le roc où se brisent les vagues ; et que souvent, celui avec qui l'on s'oppose vous construit mieux que celui dont on se sent le plus proche...

Je n'ai pas du tout aimé Marseille : une impression de squelette blanchi au soleil et couvert de fourmis, mais quel bonheur ces heures avec Pierre Barbizet ! Très vite, j'ai eu faim de ses cours. Il m'a mise en appétit de musique et même en dévotion.

Il était quelqu'un qu'on appelait naturellement, spontanément, « Maître » parce qu'il l'était. L'ascendant qu'il exerçait sur vous, trempé dans le soleil de son accent et l'étincelle de sa prunelle, rendait tout travail lumineux. Il avait surtout une formidable générosité – il transmettait sans retenue, il vous donnait tout dans une poésie qui résonnait d'images. Il offrait la clef d'une œuvre en évoquant des rimes, des rythmes, des couleurs. Il racontait des histoires et disait des rires ; alors, tout devenait limpide... Un jour, j'ai lu, en préface du livret de son enregistrement de Schubert que signait Roland de Candé : « Pierre Barbizet ne comprenait pas la tiédeur. Et dans le flot de ses idées passionnées, brillaient toujours des idées originales, enrichissantes, donnant à réfléchir. »

Tandis que je lisais ces lignes, le visage du maître m'est revenu, son regard pétillant, ce sourire délicieux et entendu. J'ai compris ce qu'il m'avait appris, même si, à cet âge, je ne l'ai pas tout de suite réalisé : nous sommes musique récitée par notre destin. Chacun porte une clef qu'il sait déchiffrer ou pas ; quoi qu'il en soit, le bonheur ne s'obtient que par l'harmonie de son être avec la note qui l'exprime. Grâce à Pierre Barbizet, grâce aux fruits de ses leçons, j'ai compris que l'on peut passer et même perdre sa vie à chercher sa pierre philosophale jusqu'au jour où l'on comprend que la formule est dans l'inverse, qu'il ne s'agit pas de transformer la matière en or, mais au contraire de transformer l'or en matière pour qu'elle devienne moments d'exception, d'enfantement d'art ou de bonté, or en son, et en soi tout simplement.

Pierre Barbizet, ce très grand pianiste, mon maître, est mort le 18 janvier 1990, à soixante-huit ans.

Chaque fois que je pense à lui, je songe à cette phrase d'Isaac le Syrien : « Celui qui s'est vu lui-même est plus grand que celui qui a vu les anges. »

***

La musique pénètre l'intérieur de l'âme et s'empare d'elle de la façon la plus énergique, disait Platon. Pourquoi m'a-t-elle happée si fortement ? Parce que la musique, la plus pure et la plus mystérieuse expression de la culture, m'a d'emblée projetée dans une réalité transfigurée de ce monde ? Parce que, à son point culminant, la musique elle-même s'évanouit et nous laisse devant l'absolu ? Un jour, j'avais onze ans, je regardais un film façon péplum celte, *Excalibur*, truffé de décors en carton-pâte. *Parsifal*, de Wagner, illustrait la bande-annonce : quand j'ai entendu cette musique, tandis que toutes les images restaient plates devant mes yeux, sagement ordonnées selon le désir du réalisateur, des mondes inouïs se sont superposés dans mon esprit, la musique leur donnait des couleurs et des reliefs. Des couleurs surtout, denses, puissantes, assorties d'images. J'ai perçu, pour la première fois, quelque chose de sa mystérieuse nature, de son pouvoir de révélation, de son universalité : ainsi, jouer la musique de Bach ou les messes de Mozart, c'est peindre des icônes avec des sons. Pendant des nuits, ce morceau de Wagner m'a hantée, m'a trotté sans relâche dans la tête. Je me jetais sur le piano pour tenter de la recomposer, jusqu'au jour où j'ai trouvé une réduction de l'œuvre. Je l'ai étudiée à l'oreille et je l'ai jouée avec ivresse, dans l'illusion délicieuse que je possédais toute la partition.

La musique s'est-elle emparée de moi parce qu'elle est le prolongement du silence, ce silence qui la précède toujours, qui retentit au cœur du morceau ? La musique est l'accès à un ailleurs de la parole, que la parole ne peut pas dire et que le silence dit pourtant, en le taisant. Une musique sans silence, qu'est-ce, sinon le bruit ?

La musique, par son puissant pouvoir de séduction, tient de la magie ; elle subjugue parce qu'elle suggère. Ce n'est pas un hasard si, dans l'Antiquité, elle est un don des dieux et qu'ils en jouent avec ferveur, ni si les ensorcellements viennent par la musique. Les sirènes usent de leurs voix pour dérouter Ulysse du droit chemin et si elles l'avaient pu, elles auraient fait sombrer les Argonautes, mais la musique d'Orphée, sa lyre, sera plus puissante que leurs chants et dissipera le sortilège. C'est aussi parce qu'elle chante que la petite sirène d'Andersen séduit l'homme qu'elle aime, et pour qu'elle ne l'épouse pas que la sorcière lui demande sa voix en échange – quel marché de dupes ! – d'une ravissante paire de jambes et d'une démarche gracieuse. Sa voix. Son chant. Seuls capables d'ensorceler le prince.

La musique, comme le parfum d'une femme, suggère donc puissamment et même envoûte : son parfum est l'exhalaison magique de son être ; alors la femme musicienne devient d'une certaine façon la sirène ressuscitée, la sorcière éternellement brûlée sur les bûchers et qui a recouvré son pouvoir, celui de charmer. Seulement, l'homme véritablement viril ne peut accepter de capituler : la science, la technique, la raison sont là pour le soustraire aux tentations de l'apparence trompeuse. Alors, quand une femme joue ou compose, sa musique n'est plus la douceur qui adoucit, ce n'est pas Orphée et sa lyre, ce sont les sirènes et leurs voix, c'est une ruse qui captive pour capturer. Tout est déjà là, dans cette opposition qui prévaut dès l'Antiquité : d'un côté les ensorceleuses sirènes, êtres maléfiques, vouées à la perdition de ceux qui les écoutent ; et de l'autre, le divin Orphée, solaire, transcendant, non plus envoûtant, non plus néfaste mais enchanteur, salvateur...

Ainsi Franz Liszt, dans la préface de son poème symphonique *Orphée*, décrit le pouvoir enfanteur du « père des chants » ; le voilà attendrissant les pierres et ravissant les bêtes féroces, faisant taire les oiseaux et les cascades, apportant à toute la nature la bénédiction surnaturelle de l'art. Orphée attelle les lions à la charrue pour qu'ils labourent les terres en friche, et les panthères aux fiacres pour qu'elles promènent les familles ; il draine les torrents sans loi et ces torrents pacifiés alimentent les moulins. Toutes les créatures de la création font cercle, attentives, autour des lions, les rossignols retiennent leurs arpèges et les cascades leurs murmures. Celui qui apaise les flots en furie sous le vaisseau des Argonautes endort le redoutable dragon de Colchide, attendrit les animaux, les végétaux et jusqu'à l'inflexible Hadès.

Le chantre inspiré ne dompte pas les monstres par le fouet mais il les persuade par la lyre. Orphée humanise l'inhumain par la grâce harmonieuse et mélodieuse de l'art. Orphée, par sa musique, convertit à l'humain dans son absolu.

Moi, la musique m'a convertie, elle m'a sauvée.

***

Curieusement, je n'ai qu'un vague souvenir de l'examen d'entrée au Conservatoire. Les œuvres jouées, oui, bien sûr, je m'en souviens. Il s'agissait des premiers mouvements de la *Deuxième* et de la *Troisième Sonate* de Chopin. D'emblée, je me suis trouvé des affinités naturelles avec ce compositeur polonais : sa grande élégance, son raffinement extrême, peut-être sa prédilection pour des concerts en tout petit comité et son amour de la nuit, ce lieu des Révélations, du Nocturne. Il aimait qu'il y ait peu de monde autour de lui, que les lumières soient tamisées et qu'embaument des bouquets de fleurs. Depuis, j'entretiens toujours avec Chopin une relation curieuse, intime, presque amoureuse, et lorsque je pense à lui, dont je ne peux me défaire, l'image d'un cou de cygne s'impose à moi et peut-être celle d'un souffle léger soulevant le voile d'un rideau.

J'aime infiniment la musique de Chopin, par-dessus tout l'art consommé avec lequel il a émancipé la main gauche au piano. Cette « servante de la main droite » avec lui trouve sa vie, s'affranchit, s'impose. Chopin invente la musique ambidextre – formidable porte où s'engouffreront à sa suite Liszt, Scriabine, Ravel et Fauré. La main gauche de Chopin a une voix – elle fredonne en baryton des sons d'or. Elle a son rythme, elle n'accompagne pas seulement, elle suggère, prend des libertés, déchire le carcan du classique – ennuyeux ? –, arpège pour inventer l'arabesque, le duo, le dialogue, le discours. Chopin a donné une voix propre à la main gauche ; il a exigé d'elle une vertigineuse virtuosité. Prestos, tarentelles, langueurs fouettées d'ondulations et de sinuosités, diadèmes de triples croches et guirlandes : la voilà qui s'enchante elle-même et se délie, se déploie et dans cette cascade de notes scintillantes, jamais ne perd la virile clarté, l'impétueuse clarté. J'aime Chopin pour l'harmonie dans l'asymétrie qu'il exige dans le doigté des deux mains et, partant, pour l'amplitude, la plénitude nouvelle qu'il offre au clavier. Avec lui, la clef de *fa*, prisonnière de gammes étroites et conventionnelles, prend la clef des champs. Elle délivre les mondes dont elle détient la note : abysses océaniques, cimes adamantines, îles de géants, elle suggère le chaos en osant les dissonances ou la volupté en mariant trilles et tierces. Surtout elle épouse la nuit, en éclaire les mystères, et alors révèle toutes les ambiguïtés de notre âme, de notre destin.

Je suis gauchère et avec Chopin, ma main maîtresse, directrice, a pu animer tous ses accents lyriques, reprendre la direction de mon expression intime. « Savez-vous quelque chose sur la nuit, monsieur le comte ? » écrit Villiers de L'Isle-Adam dans *Isis.* À treize ans, l'âge auquel j'ai passé le concours d'entrée au Conservatoire national, je ne savais rien de la nuit, sauf ce que Chopin me laissait en pressentir : un mystère de tout l'être dont j'avais intimement conscience, sans bien le définir. Et c'est sans doute par ce mystère auquel je consentais que j'ai convaincu tout le jury du Conservatoire, puisque j'ai été reçue à l'unanimité.

***

Bonjour mes mains ! Je viens d'évoquer la part que Chopin a laissée à la main gauche. Bellement symétriques, je vous dois, à toutes les deux, comme un devoir d'amitié ou de reconnaissance, un véritable éloge. Mes mains qui ont aimé celles de ma mère d'abord, paume contre paume, tiédeur contre tendresse, avant de tâter le monde, de lui imposer une forme, voire un style. Je me souviens de votre émoi quand vous pesiez votre trésor de billes. De votre plaisir lorsque vous caressiez la bonne tête affectueuse de Ripp, de Rock, de tous les chiens et de tous les chats rencontrés, et surtout de ce frisson au contact des touches d'ivoire du piano, luisantes et fraîches dans la pénombre méridienne du salon de Mme Tarit.

Mes mains à qui je n'ai épargné aucune brusquerie – c'est à vous que j'ai imposé le plus de peaux d'ongles arrachées et d'ongles rongés et qui, toujours, m'avez été les plus fidèles, outils magnifiques de la musique, qui suivent mes yeux et leur obéissent. On dit que les aveugles, d'un simple affleurement des doigts, lisent les cartes. Je ne suis pas aveugle mais j'ai besoin de mes mains pour voir. Elles devinent la vie et l'empoignent et, depuis ma plus tendre enfance, je leur prête une attention particulière sans doute parce que je suis, justement, gauchère. Comme s'il ne suffisait pas d'être une fille... Quand j'étais enfant, ma mère m'a raconté qu'autrefois, on interdisait aux gauchers d'écrire, on les contrariait. Toutes les civilisations ont eu leurs boucs émissaires, leurs victimes expiatoires. Les roux chez les Égyptiens, les chats chez d'autres, les trop jolies femmes, les albinos, les Noirs. Et puis les gauchers. Pourquoi les gauchers ? Parce que la gauche désigne le mauvais côté de la vie, la portion sinistre de l'espace ? Personne, jamais, n'a pu me donner la réponse. Moi, heureusement, on ne m'a pas interdit d'écrire de cette main. Mais j'ai toujours lu, dans le regard des autres, l'étonnement et parfois le malaise. Je me rappellerai toujours ma voisine à l'école. Elle tournait la tête et prétendait que me voir écrire lui donnait le vertige, provoquait chez elle une sorte de perte de repères. Est-la raison pour laquelle on a brimé les gauchers ? Au point que dans le vocabulaire même, cette épithète induit la maladresse, voire un peu de bêtise.

— Elle a toujours été gauche, vous savez...

Aujourd'hui, je suis ravie de cette particularité. Je suis une gauchère pure ; ma main gauche est reine. Indétrônable. J'ai des mains inégales. La droite est plus grande, la gauche plus trapue. Et je suis ravie de ne pas être associée à la main droite ; mon être entier est gaucher. La droite, c'est la norme, c'est l'ordre ; la gauche, c'est le fantasque et je suis plus pour le fantasque que pour l'ordre... Je suis contente d'être gauchère. Indépendantes, mes mains vivent plus librement ; ma main droite est obligée de se surpasser, de s'inventer pour se hisser à la hauteur d'un répertoire qu'on n'a pas écrit pour elle. Ensemble, suspendues au-dessus du clavier, mes deux mains dessinent dans l'air la multiplicité des possibles. Levés, puis baissés l'un après l'autre avec une agilité de danseurs, selon des cadences inouïes, les doigts allument alors des bouquets de figures.

Ah, mes mains ! Je ne vous aime pas uniquement parce que je vis par vous, ni parce que je suis pianiste. Les doigts ne sont que les conducteurs d'une énergie intérieure et tout le corps, quand vous jouez, vous aide, vous accompagne : le dos, les épaules, les bras. Je ne vous aime pas parce que je me sens dépendante de vous, au contraire. Je travaille très souvent le piano sans vous. Si je vous ai toujours porté une extrême attention, c'est parce que les mains des autres m'ont toujours fascinée. Enfant, je m'obligeais à ne pas écouter les conversations autour de moi, mais à les deviner en lisant le mouvement des paumes, des doigts, des poignets qui appartenaient aux différents interlocuteurs de mes parents. Les élèves de ma mère qui venaient chez nous lui parler ou se confier au prétexte de cours ou de devoirs en retard – elle a toujours attiré un aréopage rieur d'adolescentes. Des adultes qui contrôlaient leurs propos, leurs reparties, mais oubliaient de mettre leurs mains en cage. Alors, laissées à leur liberté, elles s'agitaient, ou se contractaient, s'emparaient d'une manche d'un pull-over (timidité ?), d'un mouchoir (faute avouée à moitié pardonnée ?), ou se trituraient l'une l'autre comme deux orphelines.

Index tendu ou poing fermé (politique), roulant une boucle de cheveux (ingénue ?), en coupe autour du visage (séduction), doigts grillageant les lèvres (stupéfaction), pouce mordillé comme en enfance, toutes ces mains parlaient avec volubilité comme ont dû parler les mains de Rembrandt lorsqu'elles tenaient un pinceau, ou celles de Matthieu écrivant l'Évangile sous la dictée de l'ange. Ah, les mains ! J'en suis sûre, les artistes respirent le monde par leurs paumes...

***

Voilà, une page déterminante de ma vie venait d'être tournée. J'avais douze ans. J'étais inscrite au Conservatoire national de musique, à Paris.

J'allais donc devoir passer quelques jours par semaine dans la capitale et quelques jours par mois à Marseille où Pierre Barbizet continuait de me faire travailler. Il fallait régler la question de l'école : aucun collège n'acceptait les élèves à mi-temps. Il fut donc décidé de m'inscrire au Cned, organisme de l'Éducation nationale qui assurait cours et corrections par correspondance. L'enseignement n'était pas le seul domaine où mon état civil posait un problème. S'il n'existait pas encore d'âge limite pour s'inscrire – l'année après mon inscription, le règlement du Conservatoire fixerait à quatorze ans révolus la condition d'entrée –, beaucoup, déjà, rechignaient à enseigner à ceux qu'ils considéraient comme des enfants.

Pendant l'été qui avait précédé cet examen, j'étais allée, avec mes parents et sur les conseils de Pierre Barbizet, dans les Alpes, aux Arcs exactement, où se tenait un stage de piano sous la direction de plusieurs professeurs du Conservatoire. La visite était stratégique. Il ne suffit pas de présenter le Conservatoire, il faut encore, avant même d'être admis, aller voir les professeurs qui y enseignent et demander à l'un d'eux d'accepter de vous former dans sa classe. Pierre Barbizet m'avait parlé de deux ou trois d'entre eux, à ses yeux les plus adaptés à mon tempérament et à ma personnalité. De son côté, toujours énergique, mon père avait appelé Dominique Merlet. La conversation, par téléphone, avait été courte. Dominique Merlet avait immédiatement demandé mon âge :

— Douze ans, a répondu mon père. En fait, elle

aura treize ans en novembre, au moment de présenter le concours.

— Désolé mais je ne prends pas d'élèves de cet âge. Ils ne sont pas encore assez mûrs, émotionnellement.

Le stage aux Arcs m'a beaucoup plu : imaginez une école où ne serait enseigné que votre hobby. Mes parents se reposaient. J'allais en cours tous les matins. Je m'amusais, mais force était de reconnaître que le plan de Pierre Barbizet était un échec : aucun des professeurs qu'il m'avait indiqués n'était là.

— J'organise un rendez-vous avec Jacques Rouvier, trancha le maître, lorsque mes parents lui eurent exposé la situation. Sa famille habite Marseille et il vient souvent lui rendre visite.

Nous étions en septembre. J'étais de retour à Aix. Dans les rues, je rencontrais les élèves qui préparaient la rentrée. Comme toujours, la lumière était magnifique, poudrée d'or le soir et d'un bleu limpide le matin, à l'heure où les vieux Provençaux, noueux comme des sarments de vigne, sortent acheter leur journal dans une délicieuse odeur de savon et d'eau de Cologne. Je regardais les filles et les garçons, leurs listes en main, envahir les rayons des papeteries et des librairies. Certains, de mon école, s'interpellaient. Dans la même classe l'année précédente, ils s'étaient perdus de vue, ils le regrettaient, jaugeaient lequel d'entre eux avait eu plus de chance en tombant dans la classe de M. X ou Mme Untel.

De mon côté, j'étais en proie à des sentiments contradictoires. D'une part, j'étais heureuse, enfin, d'échapper à ce train-train scolaire, ce rituel immuable et tout tracé jusqu'à l'âge du baccalauréat. Je m'étais toujours sentie à part et même particulière, d'une autre essence et d'un autre monde, et voilà qu'un événement de ma vie me mettait enfin en concordance parfaite avec cette certitude intime. Finies, les cours de récréation où l'âme enfantine est livrée à toutes les violences, les heures interminables remontées jusqu'à la sonnerie électrique, stridente, qui délivrait. J'allais être maître de mon temps grâce aux cours du Cned, libérée de toute promiscuité avec mes camarades. Enfin, j'allais consacrer l'essentiel de mon temps au piano, ma passion. À cette idée, ma poitrine se gonflait de bonheur. Pour un peu j'aurais embrassé les platanes d'Aix qui semblaient agiter leurs hautes branches pour moi seule, comme des palmes. Paris ? Le voyage à la capitale ne m'excitait pas. Je n'étais pas à l'âge où l'on a envie de partir, de s'enfuir, d'abandonner le cocon familial. J'avais douze ans pour quelques semaines encore et je n'étais pas dans cette phase adolescente, ou préadolescente, du rejet. En même temps Paris ne signifiait rien pour moi, on m'avait simplement expliqué que c'était le seul endroit où je pouvais continuer à m'adonner à ma passion : il n'y avait plus de formation intéressante à Aix, ni à Marseille.

Pour autant, il n'y avait, entre Paris et moi, aucune mesure kilométrique, aucune image qui m'excitait ou me rebutait. Je n'avais imaginé aucun dialogue avec ce lieu, le soir, dans mon lit, ni même demandé à consulter un livre, à voir des photos. Je n'éprouvais ni anxiété, ni impatience. J'attendais seulement que Paris porte un nom plus personnel pour moi : celui du professeur qui m'accepterait dans sa classe, si j'étais reçue...

Or l'été avait épuisé toutes ses promesses et j'étais toujours orpheline d'un professeur. Chaque fois que je rentrais chez moi, je me précipitais sur mes parents pour savoir s'ils avaient des nouvelles. Je m'agitais. Jusqu'au coup de téléphone de Pierre Barbizet. Il arrangeait un rendez-vous à Marseille, avec Jacques Rouvier, professeur à Paris.

Je ne doutais pas un instant du succès de mon audition en prenant la voiture, avec mes parents, pour aller à ce rendez-vous. La dernière barrière qui se dressait en travers de ma passion venait de tomber.

⁂

Connaissez-vous la définition de Dieu ? Il est selon Héraclite « jour-nuit, hiver-été, guerre-paix, abondance-disette ; et ainsi devient toujours autre comme quand le feu, mêlé d'aromates, chacun le nomme comme il lui plaît ».

En fait, le vrai nom en grec de ce Dieu si double, toujours autre et que vénère Héraclite est « Combat ». Que symbolise cet insolite Dieu-Combat ? Rien de moins que l'unité originelle des contrastes. Des contrastes maintenus en un sens inverse l'un de l'autre jusqu'au plus extrême de leur tension antagoniste. Mais alors, lequel des deux, du jour ou de la nuit, de la guerre ou de la paix, capitule ? Aucun, justement, puisqu'ils sont maintenus pour fonder une harmonie entre eux, qu'ils la font naître ; Harmonie est d'ailleurs l'autre nom de ce Dieu. Mais attention ! Ici le mot grec exclut toute référence à l'apaisement douceâtre que, depuis Platon, nous nommons harmonie. L'harmonie du Dieu d'Héraclite ne dit rien d'autre que la jonction serrée des forces qui s'opposent. Elle n'est à l'œuvre que dans les épousailles de ces tensions adverses grâce auxquelles seulement l'arc projette la flèche. L'arc ? Son nom grec évoque à la fois la vie, *bios*, et l'arme redoutable d'Artémis, celle dont jaillit la mort.

Jeu de mots ? Pas uniquement. C'est dans la double acception de ce mot que réside l'idée précise d'une unité des contraires grâce à laquelle il nous est donné d'être au monde, à la fois trop vieux et trop jeunes pour vivre et pour mourir, mais vivant notre mort et mourant notre vie selon la loi du Dieu-Combat et Harmonie et dont un quatrième nom est encore le Temps. « Le Temps est un enfant qui joue, il joue à déplacer les pièces de son jeu : ô royaume dont le prince est un enfant. »

Si nous le comprenons, alors le mouvement du flux et du reflux cesse d'être celui de l'entraînement et de la dérive ; il est celui par qui s'établit le niveau dont la permanence, au moins relative, permet aux navires d'être à flot, de gagner le large ou de revenir au port. Le mouvement du flux et du reflux est le mouvement même de la lutte. Loin de tout simplifier et de donner gagnant un seul côté des choses – jour ou nuit, guerre ou paix –, cette lutte enrichit en permanence chaque côté de son opposition à l'autre. Selon Héraclite, c'est cet affrontement que la vie nous impose de prendre en compte ; c'est l'équilibre parfait surgi de cet affrontement qui définit la constance. La constance ? Oui, la constance, phase parfaite de l'opposition universelle, si nous restons capables de la conquérir toujours.

***

Avec le recul, je réalise ma chance et le courage de mes parents. Je venais d'avoir treize ans lorsque j'ai passé le concours d'entrée au Conservatoire national de musique. Aucun des membres du jury n'avait émis d'objection ou de veto. Sans doute mes parents ont-ils perçu cette unanimité comme un encouragement. Cette voix unique a certainement effacé leurs ultimes réticences. Si Pierre Barbizet d'abord, si les plus hautes instances de l'enseignement musical français ensuite concouraient à approuver cette voie, comment auraient-ils douté de leur côté ? Elle n'a pas dû éteindre leurs peurs pour autant.

Treize ans ! Treize ans, c'est encore l'enfance. Envoie-t-on une enfant, une fille de surcroît, dans une grande ville où ni l'un ni l'autre n'avait de parents pour me recevoir, ni même d'amis ? Quelqu'un leur a conseillé un réseau de familles qui acceptaient, contre un défraiement, d'accueillir des étudiants.

Ainsi fut fait. Je devais passer deux jours par

semaine à Paris, à quoi il fallait ajouter le temps du voyage. Je « montais » à la capitale par le train. En 1982, le TGV n'existait pas encore et je pouvais observer, à travers la vitre de l'Express (je trouvais ce nom magnifiquement romantique), le subtil changement des paysages.

Le nord, petit à petit, grignotait mon univers. Après les rochers âpres et blancs des Alpilles, dentelle gigantesque et pétrifiée où hurlait le mistral, qui se profilaient à l'est de la voie de chemin de fer, après les jolis tapis d'amandiers en fleur, d'oliviers et de vignes bleues, apparaissaient les premières verdures, prairies grasses, marais, cours d'eau grillagés par la tristesse de longs peupliers nostalgiques. Le savez-vous ? Les paysages sont essentiellement musicaux. La montagne, que je regardais enfant dans l'espoir d'y rencontrer Dieu, c'est Jean-Sébastien Bach. Plus on monte, moins on voit ce qu'il y a dessous ; plus la hauteur devient propice à se retrouver soi-même. Le cours d'eau, c'est le legato. Le serpent, le mouvement continu et ininterrompu.

Le train s'arrêtait, repartait. Le nom des gares – Valence, Lyon – minutait mon voyage. J'étudiais sagement, pendant ce transport, mes cours du Cned avec un plaisir manifeste à travailler en solitaire, et, surtout, mes partitions.

Elles m'étaient d'un recours immense dans les heures qui suivaient le départ du train. Mes parents prenaient soin de m'installer dans mon compartiment, mon père jetait un regard féroce aux voyageurs qui m'entouraient pour que tous comprennent que cette petite fille solitaire n'était ni orpheline, ni abandonnée. Gare aux importuns ! Ma mère cachait son souci dans un affairement matériel. Avais-je bien pris ma trousse de toilette, mon pyjama ? Mon porte-monnaie, accroché par un lien en cuir à mon sac au cas où... était-il bien accroché, justement ? « Tu n'oublieras pas », me disait-elle, de sa voix douce et chantante. Les médicaments, de dire bonsoir, d'être polie. Et mon billet ? Il était bien composté, n'est-ce pas ? Et ma carte d'abonnement...

Mon père, quant à lui, énonçait clairement, en détachant chaque syllabe, quel métro je devais prendre pour me rendre au Conservatoire d'abord, dans ma famille d'accueil ensuite. Nous avions répété le trajet ensemble lors de mon premier séjour parisien. Je garde de cette première visite à Paris le souvenir niché dans ma main de sa main, l'étreinte un peu nerveuse de ses doigts et, chose inouïe chez mon père, la légère moiteur de sa paume alors que sa voix restait ferme. J'ai su à cet instant quel cadeau ils me faisaient en privilégiant non pas leur confort moral en me gardant sous clef, à Aix, dans le ronron d'un parcours scolaire classique, mais en laissant mes jeunes ailes se déployer et tout mon être s'envoler vers cette *terra incognita* que l'on appelle le destin – pour moi, la musique.

Lorsque le train partait, je les saluais longuement par la fenêtre. Je leur lançais des baisers, ils semblaient deux naufragés sur une banquise à la dérive. Ils prenaient l'air sévère et convaincu pour ne rien trahir de leur désarroi, de leurs soucis, les dernières recommandations étranglées dans la gorge. « Si un inconnu t'approche... » « À la sortie des cours, ne traîne pas, surtout. File directement chez tes hôtes... »

Ma gorge se serrait. Je détestais ces départs, même s'ils me conduisaient vers un lieu que je découvrais un peu mieux chaque semaine, et que j'adorais : le Conservatoire.

4

Au Conservatoire, j'étais la petite. Treize ans tout neufs quand le plus jeune des élèves accusait quinze printemps.

Treize ans et une liberté nouvelle, magnifique, large comme un royaume, fructueuse comme un verger. Ô ma belle liberté de cette année-là, dont je ne goûtais pas encore l'amertume, ni ne buvais la lie : j'étais à Paris pour accomplir ce que je savais être ma nature profonde, à défaut de mon destin. J'étais dans l'exaltation. Mon corps, tout mon corps – épaules, bras, dos, reins –, dès qu'accouplé avec le piano, dès qu'ancré à lui par les mains et les doigts, mon corps, j'en faisais un beau navire, un voyage, le bâton du sourcier d'où jaillissait la musique en fontaines.

Liberté toute neuve et que je n'avais même pas appelée : elle était venue à moi à cet âge vierge de toute révolte et de toute revendication. Moi qui ne m'étais jamais sentie comme les autres, je ne faisais plus rien comme les autres.

Cette année-là, en partageant les mêmes études, la même passion et les mêmes préoccupations que les autres élèves, j'aurais pu éteindre ce sentiment de différence. Mon âge ne l'a pas permis, je restais à part – la petite. Deux ans, à cette époque, c'est presque une génération. Je le comprenais d'autant plus que j'ai toujours été pressée de grandir. Pour moi – et je n'ai pas changé –, les années se comptaient comme les sequins d'un trésor. Je regardais les grands comme les gardiens de secrets palpitants, les portiers de palais nouveaux et mystérieux, différents à chaque anniversaire. J'étais la petite, même si j'étais leur égale sur les bancs de cette première année de Conservatoire, même si nous partagions la même attente et – nous l'apprendrions très vite – la même réciproque et franche rivalité.

J'étais leur petite, et d'un coup, je prenais mes distances avec mes anciens camarades. La nuit, je ne tombais plus dans le mistral du grand escalier qui reliait les étages du lycée, sous leurs regards. Je les savais sur les bancs du collège, appliqués à copier sur leurs cahiers les propos des professeurs. Je savais leurs journées comme des oranges, bien rondes, bien enveloppées, découpées en tranches régulières, chaque jour identique à la veille et au lendemain. Moi, à Paris, c'était figue aujourd'hui, cerise demain, à ma fantaisie. C'était des journées comme de longues plages, vagues certes, mais dont la vacuité même instillait cette peur légère, frisante, que procure l'inconnu : l'expérience d'un nouveau vertige, horizontal celui-là.

Lorsque, de retour à Aix, je croisais mes anciens condisciples dans la rue, dans les librairies, un sourire de bonheur étirait mes lèvres : je leur avais échappé.

À Paris, chaque jour, j'élargissais le cercle de mes découvertes, dont le centre restait ce bâtiment gris du Conservatoire. Gare Saint-Lazare, j'arpentais la salle des pas perdus. J'observais la cour d'arrivée où les taxis, abeilles vrombissantes, venaient butiner les voyageurs qu'ils emportaient comme du pollen, qui vers les Champs-Élysées, qui vers Saint-Germain-des-Prés, passants solitaires ou en déplacement familial venus ensemencer la capitale de leur jolie province. Je m'étourdissais de mouvements dans le bruissement intense de couleurs, de silhouettes, de gesticulations qui encerclait les bâtiments des grands magasins où, comme sur le parvis du Temple, les marchands vantaient leur camelote, inlassables de baratin. L'un d'eux surtout m'épatait : sans perdre ni haleine ni sourire, il enfournait dans sa machine carottes, navets, pommes de terre, poireaux – « julienne de légumes », disait-il – tandis que de l'autre côté de l'appareil infernal des râpés fins tombaient mollement. La machine avait une gueule insatiable.

Il y avait aussi les vendeurs de perruques, de montres, de foulards « Ah le joli souvenir de Paris ! », et surtout de parapluies – quelle surface de ciel pouvaient donc couvrir tous ces parapluies une fois ouverts ? Leur représentant vantait l'ouverture automatique de ces minuscules pépins qui, une fois le bouton magique sur le manche actionné, se déployaient dans un frou-frou de robe de soie et de feu d'artifice.

Il m'arrivait de préférer la colline à la plaine et de partir explorer les rues vers Clichy, en grimpant d'un pas vif jusqu'au pont qui surplombait les voies de chemin de fer. Là, appuyée sur la rambarde, je suivais des yeux le mouvement des wagons. J'aimais particulièrement les étincelles qui jaillissaient des câbles électriques, à la jonction du trapèze dont se coiffait la locomotive comme d'un élégant haut-de-forme. Je traînais. Je traînais des heures, avec délectation.

J'étais la petite et, comme on tolère un petit frère ou une petite sœur, les élèves du Conservatoire me laissaient les suivre à la sortie des cours jusqu'au Café de l'Europe où, tous attablés en fond de salle, ils allaient prendre un demi. Certains fumaient : clac !, le bruit mat du briquet, le léger grésillement né de l'incandescence du tabac, la fumée lourde, blanche, et bleue dès qu'exhalée. Leurs mains s'agitaient au-dessus des ronds gluants de la bière sur le formica des tables. Je convoitais leur âge, leur nonchalance, celle de Laurence Contini surtout. Je l'adorais : elle semblait délivrée de naissance, libérée du regard des autres, des conventions. À sa façon de rire, de pencher la tête sur son épaule, de poser son grand sac de toile sur la banquette, on devinait bien son indépendance. On savait qu'elle menait sa vie à sa guise et qu'elle ne rendait de comptes à personne. Je m'asseyais à côté d'elle et je la regardais de toutes mes forces ; ou encore je tournais autour de leur table, le corps désordonné, capable comme toujours de sauter au cou de l'un ou de l'autre dans une frénésie d'effusions, ou d'intervenir intempestivement dans leurs conversations, prise d'incoercibles fous rires. Il y avait aussi Marie-Josèphe Jude, belle à se pâmer. Elle dégageait quelque chose de soyeux, une aura violine et de velours, exotique et d'un charme incroyable. Éric Le Sage, Jean-François Dischamps et Claire Desert leur donnaient la réplique et parfois, ensemble, comme un seul homme, ils se tournaient tous vers moi, exaspérés, et m'envoyaient balader...

Liberté joyeuse, juteuse comme un fruit. Même l'école, c'était moi qui me l'organisais. Hop ! J'ouvrais la grosse enveloppe du Cned, et de ses entrailles de papier craft surgissait un professeur de maths sous la forme silencieuse d'un précis d'arithmétique. Venaient les corrigés des devoirs de français sans les commentaires acerbes du maître, les graphiques d'histoire et de géographie. Je travaillais à mes heures, à mon rythme, me réservant toujours les mathématiques pour la fin : je me délectais de leur bel univers, de leur architecture précise et remarquablement élaborée.

J'enfouissais tous ces cahiers dans mon sac, au milieu des volumes de sonates – Beethoven, Brahms –, tout un domaine musical inexploré de moi, ce qui était normal à mon âge. Je passais beaucoup de temps à déchiffrer ces morceaux du répertoire pianistique, avec un appétit énorme mais sans méthode aucune. J'étais brouillonne, dissipée, distraite en permanence par des envies contraires : traîner dans la rue, dévorer tous ces visages inconnus, flairer l'air, le parfum étrange et si particulier du métro, l'odeur de ciment frais échappée des porches qui barraient l'entrée des immeubles en travaux, le fumet délicieux du pain chaud et des croissants au petit matin ; l'envie de tout lire de Beethoven ou de Brahms, de Chopin toujours, mais alors les grandes œuvres, les sonates, là maintenant tout de suite ; l'envie de filer au Café de l'Europe retrouver Laurence et les autres dans la fumée des cigarettes et l'odeur âcre de la bière...

J'avais passé l'examen d'exemption avant d'entrer au Conservatoire, j'étais donc débarrassée du solfège. Je suivais, en plus du piano, un cours de déchiffrage et un cours d'analyse musicale.

J'adorais ces cours de déchiffrage, dispensés par Christian Ivaldi avec une culture merveilleuse. Des chanteurs venaient interpréter les morceaux sur lesquels nous travaillions – rien n'était scolaire ni laborieux. Les notes se délivraient de leur encre et s'envolaient en gammes, en tierces... J'avais la sensation délicieusement ludique, à chaque portée, d'ouvrir la porte d'une cage à papillons.

En fait, je le réalise aujourd'hui, tous les professeurs étaient exceptionnels, très ouverts d'esprit. Ainsi, ils ne vous imposaient pas, lorsque vous exécutiez un morceau, un doigté préétabli. Ils vous enseignaient qu'un doigté dépendait d'abord de la physionomie de l'interprète, de la mouvance de son corps, et encore de la salle, de l'acoustique, de l'instrument lui-même, et surtout du confort de la main avec sa façon si propre et si personnelle d'évoluer au long de la partition. Ils vous enseignaient la liberté, dans un respect vigilant de votre personnalité.

Je respecte particulièrement Cortot en tant que

musicien, j'ai toujours admiré son sens de l'invention, de la musicalité et d'une certaine façon son manque de perfection – comme la cravate défaite au col des dandys. Mais j'ai toujours été effarée de l'autoritarisme des éditions Cortot qu'utilisent les conservatoires, où doigtés et pédales sont indiqués de la façon la plus arbitraire – une aberration, en fait. Tout aussi aberrant à mes yeux est le conseil que donnent ces éditions d'extraire la difficulté de son contexte, de l'isoler pour la maîtriser à part. Elles recommandent, si le passage joué contient des tierces, des quartes ou des arpèges qui présentent un problème, de focaliser tout le travail sur eux seuls. Pour moi, cette méthode reste la meilleure façon de créer un problème où il n'existe pas encore, d'inventer les difficultés avant qu'elles ne se présentent. Lorsqu'il existe une véritable difficulté technique, ce qui permet de la surmonter, c'est justement le contexte musical, celui dont les éditions Cortot voudraient l'isoler. Lorsque vous savez où vous allez musicalement, lorsque vous savez où le phrasé conduit et quelles sont ses couleurs, alors vous surmontez sans encombre les difficultés techniques qui peuvent ponctuer la phrase. À l'exemple d'un cheval qui s'obstinerait, sans recul, à ne sauter que l'obstacle le plus difficile du parcours, sans l'élan insufflé par le début de sa course ni la vision entraînante de la suite de son galop...

J'avais des professeurs formidables et, du coup, mon envie de musique n'était jamais entamée. J'étais la petite, avec des impatiences incompréhensibles, des envies d'absolu, indisciplinée encore, insoumise toujours. La vie se frottait à moi comme un chat au bas d'un pantalon. Et c'était moi qui ronronnais.

***

Les dauphins et les grands singes se transmettent entre eux des savoirs, des techniques nouvelles, des habitudes ou des préférences. Cette transmission, non génétique et purement comportementale, peut varier d'un groupe à l'autre : c'est que la survie des animaux en liberté dépend pour beaucoup de ce que leur enseignent les autres. Sans cette transmission des informations, ils mourraient.

Frans De Waal, brillant éthologiste, spécialiste des bonobos, affirme qu'on peut même parler de culture chez les animaux. Pour lui, tous les animaux, oiseaux, papillons, poissons, dépendent de cette culture transmise. Déjà, au Japon, dans les années 1950, un spécialiste des grands singes, Imanishi, réfutait que tout comportement animal puisse être considéré comme instinctif, et tout comportement humain comme culturel – position profondément fidèle à la pensée orientale qui n'oppose pas l'homme à l'animal et, partant, ne s'est jamais encombrée des débats sur l'évolution ni émue de la thèse affirmant que les hommes descendent du singe. La religion a joué un grand rôle dans la différence d'approche des Orientaux et des Occidentaux : au Japon, l'esprit n'est pas réservé à l'homme, il peut habiter un animal, et même aller de l'un à l'autre.

Un exemple d'apprentissage social relevé chez des animaux par les élèves d'Imanishi ? Les habitants de l'île de Koshima donnaient des pommes de terre aux macaques de l'île. Un jour, une jeune femelle a lavé ses pommes de terre avant de les dévorer ; petit à petit, les autres l'ont imitée. Dix ans plus tard, les jeunes macaques, sans exception, lavaient leurs pommes de terre avant de les consommer. Les singes plus âgés, eux, n'adoptèrent jamais cette technique.

Ce genre de traditions spécifiques à un groupe particulier d'une espèce, on en relève une quarantaine chez les chimpanzés d'Afrique. Confronté à autant de preuves, quel éthologiste hésiterait à parler de culture ?

Le psychologue Gordon Gallup, de son côté, affirme que les grands singes ont une conscience d'eux-mêmes très poussée. Chaque individu reconnaît son image dans un miroir et, en général, tous inspectent avec inquiétude les parties de leur corps qu'ils ne peuvent pas voir dans la glace.

Il y a cinquante ans, des chercheurs ont commencé à enseigner une communication symbolique aux grands singes, avec succès ; on a appris le langage des signes aux chimpanzés ; ils l'ont pratiqué entre eux.

Au zoo de Chicago, un enfant de trois ans tombe dans l'enclos d'une femelle gorille et perd connaissance. La femelle ramasse doucement l'enfant et, assise sur un tronc d'arbre, sous le regard de son propre petit, elle berce l'enfant humain en lui tapant doucement dans le dos, comme elle l'avait vu faire aux spectateurs assis sur les bancs face à elle.

Au zoo de San Diego, un bonobo crie et fait des gestes en direction d'enfants qui jouaient dans un canal à sec, pour les prévenir que les vannes venaient d'ouvrir, spectacle auquel le singe assistait tous les jours à heure fixe, et qu'ils risquaient de se noyer. Les enfants ont été sauvés.

Il est évident que les grands singes et d'autres animaux ont un souci de la communauté et possèdent même les rudiments d'un système moral. Des singes capucins s'entraident pour transporter la nourriture qu'ils partagent ensuite ; d'autres délivrent l'un des leurs coincé dans un arbre ; des orangs-outans nourrissent un vieil individu de leur espèce incapable de pourvoir à ses besoins.

Ils s'aident, s'entraident, se consolent.

Quelle différence avec l'homme, dès lors ? À peine 0,3 % de la structure de l'ADN.

Le ressort de cette différence ? Le langage, certes, mais surtout et incontestablement l'art comme acte volontaire de création...

***

Et puis, vers la fin de cette première année de Conservatoire, j'ai commencé à tomber amoureuse.

Je ne m'en suis pas aperçue tout de suite, pas plus que de la métamorphose qui s'opérait en moi. Jusque-là, je circulais dans l'univers avec une fluidité naturelle, spectatrice certes, mais gracieusement invitée par les êtres et le monde, la faune et la flore. Il existait, entre moi et la vie, une aimable sympathie, une grande tolérance. Paris et mes errances m'avaient même guérie de mes turbulentes envies de sortir de moi. Et s'il m'arrivait de convoiter quelque chose, ce n'était que la maîtrise d'un grand interprète, la maturité et l'âge des autres élèves du Conservatoire. Lorsque j'admirais un être, lorsqu'il me plaisait, je pouvais me jeter à son cou, comme un chiot un peu fou, débordante d'affection ; je ne mesurais pas les conséquences possibles d'une telle manifestation. D'ailleurs, je n'en attendais rien en retour.

Et puis, sans trop savoir ni comment ni pourquoi, j'ai commencé à trébucher dans le sourire des autres, à me colleter en permanence avec les choses, à me cogner à l'existence et à me sentir lourde, maladroite, encombrée de moi-même. « Les plus belles années de la vie. » J'ai entendu souvent, à cette époque et dans les années qui ont suivi, ces mots. Quelle absurdité ! D'un seul coup, plus rien ne paraît évident. On ne sait plus ce que l'on veut, ni ce pour quoi l'on est fait. Simplement suivre son chemin devient un exercice ardu. Ces plus belles années, en fait, sont un vrai purgatoire.

Dans le même esprit, j'ai entendu des gens dire : « Oh ! mais celle-là, tout a été facile pour elle. Elle a toujours su ce qu'elle voulait faire et, très jeune, elle est devenue professionnelle. » J'aimais la musique, oui, et mes raisons de jouer étaient viscérales : j'en avais besoin pour vivre, elle était comme une renaissance. Mais si, jusque-là, elle avait canalisé mon excessive énergie psychique, d'un seul coup elle semblait ne plus tout accomplir en moi...

J'étais tombée, chez un bouquiniste, sur un ouvrage de Hermann Hesse – son roman *Narcisse et Goldmund* est devenu l'un de mes livres favoris. Sur une page ouverte au hasard, une phrase disait : « La musique repose sur l'harmonie entre le Ciel et la Terre, sur la coïncidence du trouble et du clair. » Ces mots m'ont frappée au cœur, comme s'ils m'étaient directement adressés. À cet instant, j'ai introduit dans mon vocabulaire la notion de « trouble » et j'ai pu en diagnostiquer les manifestations.

Ce sentiment amoureux, par exemple. Sans doute inévitable – un grand classique en fait. Quelle petite jeune fille n'a pas rêvé éperdument de son père, ou de son professeur, ou d'un répétiteur de mathématiques, ou de l'ami brillant et rieur de ses parents ? L'un de ces personnages qui oblige, pour le vénérer, à lever les yeux vers le Ciel, pleine d'admiration tant il paraît posséder les clefs du monde : maîtrise, savoir, expérience. Moitié mentors, moitié pygmalions, ces êtres traversent des adolescences fiévreuses sans le savoir, comme des météores qui enfièvrent et mettent le feu aux poudres.

Ce fut le cas pour moi. J'étais enfiévrée. Comment s'est opérée la transformation ? Je ne m'en souviens pas d'une façon chronologique, ni très précise. Simplement, j'ai commencé à avoir ce nom, ce visage collé à ma mémoire comme un papier de bonbon au bout des doigts. J'étais amoureuse à ma façon : compulsivement, dans l'agression plus que dans la séduction. Avec feintes, frottements, désespoirs, résolutions exceptionnelles. Et sans doute au pire moment : avec l'amour me vint l'esprit de révolte, de rébellion, de contestation.

In-soumise. In-disciplinée. In-gérable. In-supportable. Le terrible temps des « In » était de retour.

Fort heureusement, les vacances d'été étaient là.

***

« Cette façon qu'avait Glenn Gould de jouer au présent dispense une lumière définitive qui fait venir aux lèvres les mots usés d'innocence, d'ange », écrit Michel Schneider. Mais de quel ange s'agit-il ? Nouriel, l'ange du feu ? Tahariel, l'ange de la pureté ? Padael, l'ange de la délivrance ? Raziel, l'ange des secrets, ministre suprême de la Sagesse ? Ou Azraël, l'ange de la mort, messager ultime dont la beauté touche à l'effroi ?

Tout ange proclame. Il relie le divin et l'humain. Selon l'Église d'Orient, l'être humain se situe entre le spirituel de l'ange et le matériel de la nature : il renferme les deux dans sa constitution. Mais ce qui différencie l'homme de l'ange, c'est qu'il est à l'image de l'Incarnation : saint Grégoire Palamas dit que sa part spirituelle se fait chair et pénètre toute la nature par ses « énergies vivifiantes ». Si l'ange, « seconde lumière », est messager des valeurs spirituelles, l'être humain, reflet du Créateur, a pour vocation de faire jaillir ces valeurs de la matière de ce monde et d'entretenir les sources de la sainteté. L'homme ne reflète pas : il devient Lumière, c'est-à-dire puissance créatrice ; c'est pourquoi les anges le servent et le protègent.

À sa manière, tout interprète, s'il est inspiré, ranime par son jeu les paradis perdus, parce que au royaume de l'Esprit saint, tous les anges sont musiciens. C'est d'ailleurs par l'oreille que Marie reçoit l'ange et qu'elle conçoit. Un interprète, au clavier, est en état de visitation. Il vibre de cette intuition : illumination éclairant tout d'un coup la pensée et pliant la conduite du corps.

L'ange résonne dans le vent de la musique : il est celui-là même qui la traverse avec l'ouragan de sa face ; il entraîne l'interprète avec lui, dans son souffle, au loin.

Un artiste est presque toujours tendu sur le bord du délire. Tous les jours, il rencontre le puissant visiteur de Jacob ; il se mesure avec l'ange. Comme l'archange Gabriel, le musicien, au faîte de son art, renoue avec sa mission ; il annonce, lui aussi, les trois plus grands mystères : l'Incarnation, la Résurrection et l'Ascension.

Son corps est musique et la musique ne prend sens qu'en projection de tous les membres qui l'animent : elle résonne en chacun d'eux. De même, au piano, le musicien est fort comme la mort – ni plus ni moins, d'une égalité mystique.

Variations sauvages

Lorsqu'il retourne à chaque page de la partition le sens du temps, l'avenir vient jusqu'à lui, plutôt qu'il ne se laisse emporter vers lui. Il confond tout dans un présent sans limites ; et, au moment suprême, il s'élève, ravi : la terre fuit sous ses doigts, au loin.

5

À la fin de la deuxième année du Conservatoire, les élèves doivent passer un examen : la « mention ». Celle-ci permet d'évaluer le niveau, les progrès et les manques. Ce premier cap franchi, l'élève vise alors le « prix » qui s'obtient normalement en fin de troisième année. Vous avez néanmoins trois ans pour essayer d'avoir un premier prix : la troisième, la quatrième et la cinquième année. Donc en deuxième année, il faut se présenter au jury avec un programme strictement établi, non négociable : dans mon cas, entre autres, une étude de Chopin, une de Liszt et une de Scriabine.

Seulement, moi, ce programme m'ennuyait. Je n'en voulais pas. Je voulais jouer de grandes œuvres, des grands concertos, des grandes sonates tout de suite, les œuvres de forme brève ne m'intéressaient plus du tout. Chaque semaine, je rentrais à Aix avec, sur mon cahier de textes, les mêmes devoirs. Je revenais la semaine suivante sans même avoir ouvert les partitions. Les semaines, les mois s'écoulaient. La date approchait. Je n'étais pas prête : j'étais amoureuse.

J'étais amoureuse, mais passé le cap des langueurs, des désespoirs profonds et des moments d'euphorie irrépressibles, mon naturel était revenu au galop. Compulsive j'étais en tout, compulsive je serais en amour. J'avais décidé de partir en guerre. Conquérir était mon mot d'ordre. J'arracherais le cœur de mon élu à la façon d'un chevalier en tournoi, lance au corps, au galop, droit sur ma cible. La musique serait mon arme et ce que je ne possédais ni en maturité, ni en féminité, je le gagnerais en maîtrise de jeu. Et tant qu'on ne me dirait pas oui, je dirais non. Non, non et non. Non haut et fort. Têtue, récalcitrante.

Je ne serais plus la petite. Celle qui traîne dans les basques de ses aînés. Celle qu'on repousse, un peu agacé, pour la renvoyer à ses jouets. À tous ceux du Café de l'Europe, à tous ceux du Conservatoire, j'allais montrer que j'osais tenir tête aux professeurs, leur imposer mes vues et mes ambitions musicales. La petite, on ne l'obligeait pas à de simples devoirs, à de petits travaux. La petite voyait grand, voulait grand. Je mettrais un point d'honneur à ne pas m'intéresser à ce qui était imposé par le système. Et puisque je ne pouvais pas sauter des années civiles, vieillir enfin, je sauterais des classes, comme je l'avais fait au Conservatoire d'Aix.

Ainsi, à l'âge des aspirations confuses, avec l'ardeur d'un écolier déterminé à grimper le premier en haut de l'arbre, je me lançai à la conquête de l'amour. La première difficulté que je rencontrai n'était pas des moindres : me faire remarquer par l'élu, pour qu'il pose son regard céleste sur ma personne et, convaincu de ma valeur, alors qu'il capitule, à mes genoux, que dis-je ! à mes pieds...

Or, que fait un enfant lorsqu'il veut attirer l'attention sur lui ? Il résiste. Trépigne. S'impose. Harcèle. Moi, ma meilleure forme de résistance fut de brandir un point de vue. Nourrie de rêves absurdes, de folies étranges, et sans savoir que j'étais essentiellement déterminée dans mon comportement par le fait de devenir une femme, par le mystère de mon propre être, je m'enfermais dans mes oppositions, notamment celle au programme imposé. J'arrivais à la classe sans jamais être prête. Bien entendu, le seul résultat – logique – auquel je parvins fut d'exaspérer tout mon entourage. J'étais proprement infernale.

— Si je n'arrive pas à t'inculquer un certain sens de la discipline, il faudra envisager un changement de classe, me dit un jour, à bout, mon professeur de piano. Je vais t'envoyer chez Dominique Merlet.

C'était censé me terrifier. Terrifie-t-on un artiste ? Je haussai les épaules. Une menace aussi infime, aussi scolaire, pouvait-elle me maintenir dans les maigres pâturages d'un enseignement musical trop étriqué, tendu vers le seul examen d'une deuxième année d'étude ? Je voulais les alpages immenses et sauvages du répertoire pianistique, et dans celui-ci uniquement les morceaux qui me plairaient.

— Ne te représente plus à la classe si tu n'arrives pas à me jouer l'étude de Chopin.

Chopin ? Une autre étude de Chopin ? J'allais leur montrer à tous, puisqu'ils refusaient de voir. J'allais leur apporter des preuves.

Le soir même, j'étais de retour à Aix, puisque je me mettais en retrait de la classe. Sur le lutrin de mon piano, je déployai effectivement une partition de Frédéric Chopin, mon compositeur, mais pas une simple étude, non, plutôt le *Deuxième Concerto.* Je me sentais des ailes, des rages à avoir raison d'une violence folle. Hélas, rien qui puisse m'aider à déchiffrer sans heurt ni surtout franchir le difficile passage de la lecture à l'exécution.

Une semaine passa, chaque jour amenait son lot de difficultés dans mon travail. D'autant que je n'envisageai pas une seconde de faire machine arrière ni amende honorable. Je voulais cette grande œuvre. Je confortai ma détermination en projetant les scènes de mon triomphe futur : mon imagination les allumait comme les lustres d'une salle de spectacle. D'un seul coup, par l'effet de ma magie, tous les professeurs du Conservatoire, tous les élèves avec eux, et Lui, surtout, Lui, tous réunis dans l'auditorium du Conservatoire national de musique de Paris, m'écoutaient, béats. Et moi, sans timidité, nonchalamment dégagée, j'exécutais avec une maîtrise lumineuse ce *Deuxième Concerto* de Frédéric Chopin. En un instant, je supplantais tous les grands interprètes qui m'avaient précédée.

Je les tenais sous ma coupe, en mon pouvoir, je jouais et me jouais des difficultés. J'excellais. Ils ne pouvaient alors qu'applaudir et s'incliner... Ah, mais j'aurais le triomphe modeste ! Dès le dernier accord plaqué, sans un salut, je filerais vers la sortie. Planterais-je alors mes yeux gris dans les siens enfin admiratifs, éblouis, amoureux ?

À cet instant de ce film imaginaire, je variais les versions. Parfois, alors que les notes dansaient sur les portées, diluées par des larmes de fatigue, j'optais pour cette confrontation directe – mon regard fouaillant le sien. Dur ? Triomphant ? Soumis ? Implorant ? Parfois encore, je préférais le dédain ostentatoire. Il me traitait comme une gamine, un bébé ? À mon tour de l'ignorer !

— Sais-tu que le Conservatoire d'Aix a formé un orchestre composé de ses professeurs et de quelques-uns de ses élèves des classes supérieures ?

Ma mère chantonnait dans la cuisine. Je tournais autour d'elle comme une lionne en cage, impatiente de prouver ma valeur. Elle avait levé son visage vers moi, suspendu ses mains dans l'air de cette soirée de printemps pour me sourire, puis repris la préparation de sa recette. Je lui sautai au cou, comme à l'habitude, pour l'étouffer de baisers. Sans le savoir, elle avait trouvé la solution à mon casse-tête.

J'avais quatorze ans, aucune inhibition pour entraver ma démarche et toutes les audaces : le lendemain, j'étais de retour au Conservatoire d'Aix, qui m'avait vue sur ses bancs pendant quatre ans.

— Je veux travailler avec vous. Et je voudrais que ce soit le *Deuxième Concerto* de Chopin.

Ni raillerie, ni ironie, ni renvoi à un *Nocturne* ou à une *Étude* dans la perspective étriquée de la « mention ». Au contraire, ils m'accueillaient avec bonheur. Ils m'avaient connue avant Paris. Ils savaient l'affectueuse considération que me vouait Jacqueline Courtin, et les cours dispensés par Pierre Barbizet. Et, somme toute, que je revienne au pays y jouer cette œuvre n'était pas pour leur déplaire...

— Tu sais que cet orchestre a un objectif ? Se produire en fin d'année pour donner un concert ? Tu seras là ?

Un concert, mon premier concert public ? Fallait-il que je sois amoureuse, donc aveuglée par mon complot personnel et secret ! Je n'ai ressenti ni enthousiasme, ni emballement, et tout aussi peu de crainte, de doute, ou de trac à cette perspective. J'étais seulement ravie d'avoir trouvé la voie : enfin, j'allais apprendre une grande œuvre, la répéter seule chez moi, m'exercer selon mon intuition. Le nombre de variations devenait infini, les couleurs chatoyantes, les temps libérés, « où raison et magie deviennent un ».

Je me suis lancée dans ce travail à corps perdu. Ma raison de jouer était viscérale, aussi je jouais bien, en magie avec le monde. Je voulais vaincre et me trouver. J'avais une telle conscience de ce bonheur, de mon besoin de musique pour vivre et de la renaissance que m'insufflait l'œuvre, que j'ai physiquement réalisé combien le processus du travail était précieux. Et d'un seul coup, moralement, j'ai capitulé et j'ai commencé d'étudier, aussi, l'étude de Chopin, celle de Liszt et celle de Scriabine.

Ravie ? Exaltée plutôt. Traversée de frémissements intérieurs, consciente de forger mon moi avec une rigueur toute nouvelle, une rigueur et une vigueur. Dans ma conquête, j'allais à ma façon, impulsive et passionnée, sur le tempo *allegro affettuoso. Allegro*, c'est-à-dire vaste, extensible, avec une notion d'allant, réfléchie mais toujours instinctive, sans aucune approche mesurée. Je ne faisais que ce que j'avais envie de faire et aujourd'hui encore, lorsque ce que je veux n'est pas possible, je m'arrange pour que cela le devienne. La définition de la passion, c'est se jeter à corps perdu dans ce qu'on fait, corps, âme, sans hésitation ni inhibition, et c'est comme cela que j'ai fait les choses, et que je continue à les faire. On commet certaines erreurs avec cette méthode mais tant pis ; ces erreurs rendent la vie intéressante et ne blessent que vous. C'est donc plutôt bénin.

Et puis est venu le jour du concert et j'ai eu l'impression de vivre enfin, en plein jour, en plein public, ce que j'attendais depuis toujours en sourdine. Le piano d'abord, amical, luisant dans les pénombres de la scène comme un sourire ému. Les premières mesures de l'orchestre ensuite, qui versaient leur clarté sur moi dans un dialogue fluide, et posaient sur mes mains leurs accords volatils. J'étais, en même temps, livrée tout entière à moi-même, sans amarres, portée par le sentiment tout neuf et délicieusement vertigineux d'une absolue liberté.

La musique m'émancipait.

C'était l'année de mes quatorze ans.

Je n'étais plus petite.

***

Chez les Scandinaves, dans le Grand Nord, un loup est élevé par les dieux. Fenrir, c'est son nom, était intrépide, imprévisible, indocile. Il cassait toutes les chaînes dont on emprisonnait ses pattes et seul le dieu Tyr osait le nourrir. Un jour, Tyr inventa une chaîne spéciale, Gleipnir, incassable et élastique, afin de mater l'animal. Pour qu'il accepte de la passer autour de son cou, les dieux demandèrent à Fenrir, comme un service, de briser cette chaîne. Fenrir accepta mais, soupçonneux, demanda qu'un dieu laisse sa main dans sa gueule, en gage. C'est ainsi que Gleipnir, la chaîne magique, enlaça à jamais Fenrir et que le dieu Tyr perdit sa main. Depuis, les Scandinaves attendent le « temps des loups », qui marquera la fin du cycle du monde, temps où Fenrir, qui grandit sans cesse, verra sa chaîne tomber – alors il dissoudra l'univers.

Ce cycle du monde, c'est celui des saisons. Lorsque Odin et ses loups meurent, le monde est purifié, il connaît un matin nouveau, le printemps vert tendre, car le printemps est vert, n'est-ce pas ? et bleu aussi, à l'aube. Du moins, tant que Geri et Freki, les loups d'Odin, ne parviennent pas, au terme de la course infinie dans laquelle ils sont lancés, à dévorer le soleil et la lune.

Pour ce pouvoir, les alchimistes invoquent le loup comme mercure alchimique, dissolvant universel, *materia prima*, mercure des sages, autrement dit l'antimoine. Pour ce pouvoir encore, l'ancien nom de l'hiver, en Allemagne du Sud, est *Wolfsmond*, le mois du loup. Lorsque Fenrir et les dieux ont fini de combattre, l'eau recouvre le monde pour permettre l'émergence d'une terre nouvelle, et c'est par ses destructions que le loup rend possible le passage d'un état à un autre. Dans le cloître roman de Monastier ou sur l'église de Rozier-Côtes-d'Aurec, un loup à queue feuillue et un diable à tête de loup reprennent ces croyances celtes...

Comme nous, le loup a une double nature, un double statut. Ainsi, Apollon, Lycones, le dieu « né du loup », est divinité de la lumière. Nyros, fondateur de l'Empire perse, et Gengis Khan avaient une louve bleue pour mère, sans oublier bien sûr Remus et Romulus. La louve, symbole de fécondité, nourrit aussi Alibe, l'un des premiers saints irlandais...

D'ailleurs, il a la réputation de voir dans les ténèbres : l'anneau de saint Loup guérit de la cécité et saint Hervé, aveugle, fut guidé par un loup pour échapper à la mort.

Le bon saint d'Assise, François, convertit le loup de Gubbio, « frère loup ».

Et le 10 février 701, un loup sauvage se laisse dompter par la beauté et la musique de sainte Austreberthe, qui le subjugue.

***

Providentiels hasards, stupéfiants signes du destin.

Le concert donné par le Conservatoire d'Aix avait été enregistré pour les besoins des archives ;

on m'en avait gentiment offert une copie. Je possédais ainsi, interprétée par moi, l'intégrale du *Deuxième Concerto* de Chopin et, puisqu'il était impossible de rejouer cette œuvre en son entier, les fameuses études imposées que j'avais exécutées lorsque j'étais revenue au piano, chaleureusement bissée.

J'allais enfin les épater, tous.

Hop un avion. Hop Paris. Et là, consternation.

— Une revenante ! Mademoiselle Grimaud !

Chez tous, la même froideur – ou au mieux, le même étonnement – à me voir franchir de nouveau, c'est vrai après plus d'un mois d'absence, la porte du Conservatoire. Du côté administratif, tous mes interlocuteurs développaient la même logique : sanctionner mon absence.

« Sommes-nous un hôtel ? Un self-service ? » Ah ! J'avais pris au pied de la lettre ce « Ne réapparaissez pas dans ma classe tant que vous n'aurez pas travaillé le programme imposé » ? Tant pis pour moi. À mon âge et simple élève, je n'avais à manifester ni états d'âme, ni susceptibilité.

J'avais rêvé d'un public, je trouvais un tribunal. J'allais être renvoyée du Conservatoire ! Il fallait me justifier, excuser mon court évanouissement dans la nature, prouver mon travail, prouver que je connaissais ces études sur le bout des doigts, et vite – ne plus étudier le piano dans cette école ? Mais alors où ? Quelle folie !

Je ne les laisserai pas faire. J'avais la preuve de mes efforts et de mon travail dans le fond de mon sac. Une minute ! Je vous demande une minute ! J'exige que vous écoutiez cet enregistrement...

Prestement surgie de mon sac, la cassette du concert se dresse au bout de mes doigts. Je l'agite. Mes yeux fiers, sûrs de leur bon droit, ponctuent mon geste, mes regrets, ma supplique. En face de moi, je n'ai rien, sauf un silence dubitatif et fatigué par mon agitation – je suis toujours agitée d'ailleurs, c'est chronique chez moi, même à quatorze ans, même amoureuse.

Un silence n'est pas un refus, n'est-ce pas ? Sans un mot pour ne pas briser l'équilibre fragile de cette minute, suspendue aux visages de mes vis-à-vis, attentive à déceler sur leur faciès un tic, une moue ou une crispation qui m'intimeraient de cesser, je glisse sur le bureau de Jacques Rouvier, mon professeur de piano, la fameuse cassette de l'enregistrement d'Aix. Mon professeur ne la repousse pas. Et même, alléluia, il accepte de l'écouter : ce concert enregistré allait me sauver. Ma réputation d'enfant immature serait, du même coup, pulvérisée, et puisque les applaudissements n'avaient pas été effacés de la bande enregistrée, je pourrais, sans explication, faire aussi valoir mon triomphe...

— À demain en cours, m'a dit Jacques Rouvier presque sèchement.

J'ai tourné les talons pour quitter la salle, et puis j'ai réintégré les rangs, comme si rien ne s'était passé. Et au fond, qu'était-il arrivé ? Rien qui se laisse réduire à une anecdote administrative, ni un petit accident de la vie quotidienne. (« Tu étais malade ? » m'a simplement demandé une élève de la classe.) J'étais de retour, toujours amoureuse, toujours tendue vers ce but : me faire aimer. Mais l'épisode du *Deuxième Concerto* de Chopin et ce concert à Aix avaient trouvé une profondeur qui se situait ailleurs, hors de tout ce contexte amoureux et scolaire. J'étais parvenue, avec mon insolente obstination à vouloir jouer et apprendre seule, à aller au vif de ma vie et de l'émotion.

Incroyable hasard ! Yoshiharu Kawaguchi, à l'époque producteur principal pour la firme Denon, était de passage à Paris. Il souhaitait discuter du programme d'un futur CD que devait graver Jacques Rouvier avec Jean-Jacques Kantorow et l'entretien était programmé ce jour-là, à cette heure-là. Quelques jours après l'audition de mon concert enregistré, il poussait la porte de notre salle de cours.

— Tenez, écoutez cet enregistrement, et dites-moi ce que vous en pensez.

Mon professeur de piano tendait ma cassette au producteur de cette maison de disques.

— Qui est-ce ? Je veux l'enregistrer.

Yoshiharu Kawaguchi, le producteur, rendait la cassette à Jacques Rouvier. Il n'avait pas attendu trois jours pour poser la question.

— Hélène Grimaud. L'une de mes élèves, mais il faudra qu'elle obtienne d'abord son premier prix avant de graver quoi que ce soit. Au mieux, ce ne sera pas avant un an et demi.

Trois semaines plus tard, le producteur repassait à Paris. J'étais en classe de piano et je jouais lorsqu'il est venu. Il s'est assis discrètement au fond de la salle et il m'a écoutée.

Lorsque j'ai terminé, il s'est levé. Il a éclairci sa voix et a dit, tout simplement :

— Pour votre premier disque, ce que vous jouez m'intéresse beaucoup.

C'était du Liszt. J'avais d'autres vues, et une idée très précise. Je pivotai brusquement sur le tabouret pour faire face au Japonais et je lui lançai, le regard inflexible, et d'une voix ferme :

— Je préférerais Rachmaninov...

***

Tous les scientifiques s'accordent pour reconnaître que le loup a été le premier animal domestiqué par l'homme. Comment ? Au cours de la préhistoire, l'homme, devenu chasseur pour se nourrir, traque en groupe ; alors, il partage avec ses congénères la chair des proies capturées et tuées. Il vient d'inventer les relations sociales et avec elles, la sédentarisation. Voilà les premiers villages, les premières cités lacustres, les premières domestications d'animaux. À la fin du paléolithique, vers 12000 avant Jésus-Christ dans les régions péri-arctiques et vers 8000 dans le nord de l'Europe, des loups fraient avec les hommes, bien avant tout autre animal dont la domestication sera l'œuvre d'agriculteurs sédentaires. Ce loup, c'est le *canis lupus*, apparu il y a deux millions d'années. Sa taille est inférieure à celui que nous connaissons aujourd'hui. Il descend de son lointain ancêtre, le Miacoidea, qui a vécu entre – 54 et – 38 millions d'années en Amérique du Nord. Il s'agissait à l'origine d'un animal arboricole qui s'est progressivement adapté à la terre ferme, pour devenir le *canis lupus.*

Pendant des temps immémoriaux, l'homme et le loup vont donc vivre en voisins et de façon similaire : les deux espèces chassent les mêmes proies sur un territoire commun. En même temps à défaut d'ensemble, ils pistent les herbivores dans leurs transhumances. Et sans doute, quoique occasionnellement, se chassaient-ils mutuellement lorsque les uns se sentaient menacés par les autres. Ainsi, des gisements importants d'ossements de loups découverts en Ukraine et datés de – 20 000 ans environ, prouvent que des hommes ont exterminé une grande quantité de loups, vraisemblablement pour leur voler leur fourrure et s'en couvrir.

Sans doute encore les hommes observaient-ils attentivement les techniques de traque des loups, plus expérimentés, et se postaient-ils sur le trajet des bêtes qu'ils poursuivaient. De son côté, le loup s'est rapproché des campements des hommes pour dévorer les déchets que les bipèdes abandonnaient derrière eux. Enfin, les hommes, par curiosité ou par jeu, ont recueilli des petits d'adultes tués au cours de leurs traques. Ils ont probablement donné ces louveteaux aux femmes ; elles les ont nourris soit en les allaitant, soit en leur proposant de la nourriture prémastiquée. Rien pour le moment n'étaye cette théorie, mais elle semble parfaitement plausible à la majorité de la communauté scientifique. D'ailleurs, l'allaitement des animaux par les femmes est une pratique que l'on rencontre encore fréquemment dans de nombreuses sociétés, lorsque les chasseurs rapportent au village des petits d'animaux tués. Dans certaines régions de Sibérie, en Amazonie, en Océanie, en Tasmanie, en Afrique et ponctuellement en Europe, on voit des femmes allaiter des animaux sauvages qu'elles garderont ensuite auprès d'elles.

Selon l'ethnologue Jean-Pierre Digard, les femmes nourrissent ainsi des chiots, des gorets, des pécaris, des singes, des faons, des agneaux. Les animaux deviennent des compagnons pour les enfants, font office d'éboueurs ou de chaufferettes pour lutter contre le froid des nuits. En France, au XIXe siècle, les chiots tétaient les femmes pour les soulager d'une trop grande production de lait ou au contraire pour faciliter la montée de lait. Il arrive aussi que les animaux servent certaines pratiques religieuses, comme l'ours apprivoisé des Aïnous d'Hokkaido au Japon.

De quoi s'agit-il ? Chez les Aïnous, l'ours est le récipiendaire des dieux. Son esprit est le messager du panthéon divin et, lorsque l'ours est tué, l'esprit retourne dans les mondes supérieurs d'où il protège ceux qui l'ont libéré. Pour cette raison, les chasseurs ravissent de tout jeunes oursons à leurs mères et les donnent à allaiter aux femmes de leur village. Les oursons grandissent avec les enfants de la famille. Puis, lorsque l'ours a trois ans, au cours d'une fête annuelle célébrée en automne, il est promené à travers le village dans une procession cérémonielle. Au terme de cette exhibition, les villageois l'entourent et le blessent avec des flèches jusqu'à le plonger dans une furie irrépressible. Là, on le tue en l'écrasant entre deux poutres. Pendant la mise à mort, les femmes exécutent des danses rituelles, les hommes et les enfants le pleurent abondamment. Enfin, on mange sa chair et ses entrailles au cours d'un festin réunissant toute la communauté. Cette même cérémonie a lieu chez les Sibériens où l'ours est nourri de bouillie avant son sacrifice et où les femmes entonnent un chant funèbre au moment de sa mise à mort....

Mais revenons à notre vieux couple : l'homme et le loup. Le louveteau doit être apprivoisé dès les premières semaines de sa vie et sans relâche. C'est dans cette prime enfance que se détermine la formation des liens sociaux entretenus plus tard par l'animal. Pour le marquer d'une empreinte forte, les contacts physiques – caresses, jeux, regards, proximité – et l'apport d'aliments avant même le sevrage du bébé restent les meilleurs, et les plus efficaces, moyens de domestication. L'empreinte humaine modifie le comportement animal, avec pour conséquence déterminante et radicale l'attachement de l'animal à l'homme. C'est ainsi que le vieux compagnonnage de l'homme et du loup à la chasse a abouti à l'apprivoisement du second par le premier. Le loup apprivoisé est devenu un auxiliaire de chasse très efficace puisqu'il rabattait le gibier vers son maître, et une aide vitale puisque au paléolithique, un changement climatique a bouleversé la répartition de la faune herbivore dans les plaines, qui s'est déplacée beaucoup plus rapidement.

Pour la chasser, il a fallu que l'homme soit aidé dans sa course, qu'il fabrique des armes plus efficaces et plus maniables. Il s'est servi du loup pour pister et surtout poursuivre le gibier.

En même temps, le loup apprivoisé, avec lequel l'homme partageait ses proies, devient tributaire de l'homme pour se nourrir... Sélectionné, l'animal perd les qualités propres à l'espèce sauvage pour évoluer vers le chien : plus petit, son profil se modifie, son museau raccourcit. C'est ce que l'on appelle la « néoténie domesticatoire », c'est-à-dire la persistance de traits infantiles chez l'adulte.

***

Le boulet n'était pas passé loin. Personne ne me mit à la porte du Conservatoire, et je jouai, comme convenu et comme imposé, les études de Frédéric Chopin pour la mention, que j'obtins sans problème. Seulement, j'avais eu très peur. J'étais bien incapable de dire ce que j'avais craint le plus : ne plus Le voir, ou ne plus apprendre la musique. Quoi qu'il en fût, les deux hypothèses m'avaient semblé particulièrement intolérables. Aussi, je résolus de calmer mes rébellions et j'ordonnai à Miss Hyde de céder la place à Docteur Jekyll. Ainsi, doucement, les choses se mirent en place et en ordre à la fin de la deuxième année. J'avais toujours deux idées en tête, extrêmement précises, mais je préférais dorénavant leur version sage. Ces deux objectifs se jouaient encore sur le mode de la conquête : décrocher le premier prix, et le cœur de mon Élu. Il m'apparut bien vite que ma passion pour le piano et mes facilités ne pouvaient que m'aider à réaliser ce second objectif. Alors je travaillais sérieusement, passionnément, aidée sur ce chemin par des professeurs exceptionnels et remarquablement pédagogues. Je traînais beaucoup moins dans les rues.

Le travail n'était pas la seule raison qui m'écartait des vagabondages de mes premiers mois à Paris. Je les aimais autant, je rêvais toujours les noms des capitales que portaient les rues alentour, pendant que le vacarme des trains m'emportait vers elles : Rome, Amsterdam, Londres, tous ces ailleurs dont je récitais les noms à mi-voix pinçaient mon cœur d'une nostalgie prémonitoire. Je continuais souvent à me promener ; je continuais à dévorer des yeux les visages qui venaient à ma rencontre, cherchant à retenir leur morphologie, à les apprendre par cœur pour, le soir, leur faire jouer en imagination les mille histoires que je me racontais à leur propos, seule dans ma chambre. À telle femme, dont la démarche souple, flottante, disait tout le mystère de son être, je donnais le premier rôle de ma troupe de comédiens improvisés. Certaines laideurs me bouleversaient, certaines vieillesses aussi. Peut-être même étaient-ils mes préférés, ces visages ridés qui portaient toute la géographie d'une existence. L'équilibre entre la pesanteur des années et la fragilité de ces vies me poignait le cœur. Certains me donnaient l'impression d'oiseaux en attente des grandes migrations d'hiver, les ailes repliées d'arthrite, la tête rentrée dans les épaules. En rêve, je posais leurs silhouettes sur les lignes électriques de la gare Saint-Lazare, portées énormes dont ils devenaient les notes. Grâce à eux, je composais des symphonies. J'avais des êtres clefs de *fa*, aux yeux souriants et doux, aux lèvres volubiles, j'avais des enfants clefs de *sol* – ceux qui laissaient leurs chiens trouver d'autres voies dans les rues que la rectitude du trottoir ou la grisaille de l'asphalte.

En fait, je ne me suis jamais lassée de ces promenades, mais j'avais maintenant quinze ans et ma façon de dévisager les inconnus, si elle n'induisait aucune attente de ma part, déclenchait des réponses. Sans doute étais-je en partie responsable. Mon regard a souvent dérangé. Ma photo, sur la pochette de mon CD Brahms solo, a fait dire à une femme que j'étais « une illuminée, visiblement sous cocaïne ».

Des hommes se sont mis à me sourire, de ces sourires terrifiants parce qu'ils n'impliquent aucune gentillesse, aucune douceur – des sourires collants comme des bonbons sales. C'est que le regard de concupiscence connaît mille versions. Certains sont goguenards, certains plus timides – mais alors par en dessous avec quelque chose d'obscène. J'ai rencontré des regards allumés d'une étincelle voluptueuse. Des regards d'une infinie mélancolie – ceux qui renoncent au fruit interdit et rêvent d'y goûter, empoisonnés quotidiennement par la strychnine de leur désir. Mais pour moi, comme pour toutes les filles du monde, cette ronde dont je faisais l'objet et la luisance de ces yeux posés sur moi avaient quelque chose de glaçant parce qu'il s'en dégageait une essence primaire, barbare, une violence pure, nucléaire, un aperçu de forces noires énormes et féroces.

Et encore, lorsque j'y repense, je crois que cette manière était plus simple que l'attitude que les hommes m'opposent aujourd'hui. Dans les rues de mes quinze ans, malgré mes jambes frêles comme des tiges de coquelicot, malgré l'absence de toute coquetterie dans ma mise, malgré mes grands chandails en godille sur mes genoux et leurs manches mangeant mes mains, il y avait chez certains hommes une invitation manifeste, née du quiproquo de mon regard directement planté dans le leur et de ma démarche d'errante. Aujourd'hui, c'est pire. Les hommes ne me voient pas, ils voient ce qu'ils croient que je suis ; ils se projettent à travers moi dans une image déformée d'eux-mêmes, de leurs désirs, de leurs inhibitions. Et je supporte de moins en moins, dans ces face-à-face, dans les rencontres fortuites auxquelles m'oblige mon métier, de me retrouver la récipiendaire d'un fantasme qui n'est pas moi, que je fuis, et qui provoque chez moi le plus profond mépris pour celui chez qui je le devine.

C'est que les hommes (et il y a si peu d'hommes chez les hommes !) me voient d'une curieuse manière. L'alliance de mes qualités leur semble incompatible : un physique dont je pourrais faire mon fonds de commerce (sois belle et tais-toi) et un métier exigeant, élitiste ; une réussite qui ne doit rien à ce physique mais tout à un travail acharné (quel gâchis !) et à une passion avouée, active, pour une meute de loups... Ils jonglent avec ces éléments, cherchent à les conjuguer comme les pièces d'un puzzle qu'il faudrait mettre en place, échouent. Comment les ajuster, les bien jointer ensemble ? Une pianiste (donc quelqu'un de pur), une musicienne classique (donc dotée d'un pouvoir intellectuel), lancée dans une carrière internationale (donc indépendante financièrement et libre de ses mouvements). Jusque-là tout va encore. Mais ajoutons l'élément « vivant avec des loups » (donc bourré de fantasmes de puissance sexuelle) et mon physique ; alors surgissent tous les délires.

Ce regard de concupiscence, je le retrouve parfois chez les femmes et ce n'est pas plus facile à vivre. D'ailleurs, les rencontres avec certaines femmes sont rarement plus légères : immédiatement, je deviens au mieux la rivale, au pire l'ennemie. Moi qui me moque des apparences, je suis victime de la mienne, un comble ! Moi qui rêve de rencontrer des amies, en toute simplicité, je découvre le laser impitoyable d'un regard qui me pèse, me soupèse, me rejette, s'effraie. Pour un peu, je me sentirais pestiférée, petit démon fatal, croqueuse d'âmes comme ces sorcières brûlées sur le bûcher.

Jusqu'à mes quinze ans et ces promenades dans les rues parisiennes, lorsque le monde me frôlait, se frottait à moi, c'était par des couleurs, des parfums, des ciels ou des vertiges ; alors je voulais m'évader de mon corps et me dissoudre dans ce bonheur. À Paris, le monde s'est barbelé. Non que j'aie refusé ce pouvoir de troubler, ni réfuté d'emblée toute tentation narcissique. Seulement, en même temps que je le découvrais, je réalisais que je ne le contrôlais pas. Je voulais bien être pyromane, mais aux lieux et heures que j'aurais décidés uniquement, certainement pas à cause de ma plastique ou de l'effet de mon sourire, ni à cause de mes beaux yeux. Allumer le feu d'une passion oui, mais pour mes visions musicales, mes idées sur le monde, mon accouplement avec le piano qui me faisait regretter que manque, dans les bestiaires fabuleux ou les mythologies musicales, un Sagittaire mi-homme mi-piano, une sirène au corps de cordes et d'accords.

Pour éteindre le regard des hommes en vadrouille, j'appris à donner à ma démarche une détermination presque athlétique. Rien n'est pire que la nonchalance, ce pas si particulier aux errances, pour déclencher quiproquos et ambiguïtés. Malgré tout, malgré ma santé essentielle, je n'évitais pas toutes les invites : clignements d'œil, mouvements racoleurs de tête. Alors je sortais beaucoup moins. Et puis la ville, que je n'aimais pas même si j'adorais y rôder, m'attirait de moins en moins. J'étais polarisée maintenant par mes nouveaux projets, qui m'enfiévraient. Je m'y engouffrais de façon compulsive comme toujours. Je rêvais de graver ce disque, je le voulais, et vite, enivrée par l'acceptation facile du compositeur : oui, moi qui voulais une grande œuvre, j'allais en enregistrer une, et je l'avais choisie ! Rachmaninov !

Il fallait, bien sûr, que je remplisse les conditions : un premier prix rapidement. Je l'obtins, l'été de mes quinze ans.

***

L'été de mes quinze ans, je fis aussi, pour la dernière fois, le rêve de l'escalier et de ma chute dans le mistral hurlant et les abysses de mon école, à Aix. Fait curieux, le lendemain je tombai sur une histoire étrange, divinatrice ou prémonitoire, et qui semblait s'adresser directement à moi. Pour contempler le paysage le plus merveilleux du monde, il faut arriver au dernier étage de la tour de la Victoire, à Chitor, en Inde. Seuls ceux qui ne croient pas en la fable osent monter jusqu'à la terrasse circulaire qui coiffe l'édifice et emprunter l'escalier en colimaçon qui y mène. C'est que dans cet escalier vit, depuis le début du temps, l'A Bao A Qou, être en léthargie qu'éveille la perception des valeurs humaines.

L'A Bao A Qou repose sur la première marche de l'escalier en colimaçon. La présence d'un être humain l'anime ; les vibrations que déclenche la personne qui s'approche lui redonnent vie et lumière intérieure. Alors, son corps frémit ; sa peau, jusque-là translucide, se réchauffe, s'opacifie. Au franchissement du premier degré de l'escalier, l'A Bao A Qou se colle aux talons du visiteur, se glisse à sa suite, accroché aux angles émoussés des marches qu'ont empruntées des générations de pèlerins avant lui. Chaque gradin franchi intensifie la couleur de sa peau, perfectionne sa forme, vivifie sa lumière intérieure. Mais l'A Bao A Qou parvient au sommet de la tour et au seuil de la terrasse à la condition exclusive que celui qui monte soit un être spirituellement supérieur ; alors il s'accomplit et trouve sa forme parfaite.

Si l'être qui monte a, un seul jour, une seule minute, une seule seconde, choisi le camp du déshonneur, l'A Bao A Qou se paralyse en chemin. Il se pétrifie sur une marche, le corps inachevé, la lumière ternie et la couleur éteinte. Mais avant de s'évanouir totalement, l'A Bao A Qou pleure. Sa plainte, à peine perceptible, rappelle le frôlement de la soie, le chant du vent dans les bambous, la caresse de l'alizé au cœur parfait de l'Atlantique, quelque chose comme le son du déchirement, arpégé, *calando* comme il se dit en musique, c'est-à-dire en cédant, en ralentissant le tempo et l'intensité de la note. On pourrait dire aussi *ritenuto, meno mosso.*

Certains disent que l'A Bao A Qou voit avec tout son corps et qu'au coucher, sa peau a le velours et le hâle solaire de la pêche.

Mais si l'homme ou la femme qui monte, en quête du plus beau paysage du monde, est pur, alors l'A Bao A Qou recouvre sa forme définitive, il scintille d'une lumière bleue, comme l'heure chérie de Chopin ; enfin, il respire, il est souffle et vision. Hélas, son accession à la perfection de forme et d'état reste brève : le visiteur, les sens emplis de la beauté du monde, redescend tôt ou tard. L'A Bao A Qou, qui ne peut rester seul sur la terrasse, suit son guide. Le voilà qui revient à son point de départ en roulant et tombant ; de retour, malgré la splendeur entrevue, malgré l'ancienne plénitude, il pleure en léthargie la beauté contemplée, la liberté, l'illumination.

La fable que conte Schéhérazade dit aussi qu'au cours des siècles, l'A Bao A Qou est parvenu une seule fois au sommet des marches, et, ainsi, à la perfection.

***

D'emblée, j'ai aimé la musique de Rachmaninov, et parmi ses concertos, le deuxième, dont je me sens le plus proche. Contrairement à d'autres pièces – ainsi le *Troisième Concerto* dont la phrase d'ouverture dit déjà tout –, le *Deuxième Concerto* ne souffre d'aucune redondance. Rachmaninov était un compositeur de grande aristocratie, de grande élégance. J'aime qu'il ait toujours eu le courage de ses opinions ; il s'est placé à contre-courant du langage de son époque. Au moment où toutes les révolutions sont dans l'air, au moment où naissent des mouvements dans lesquels s'inscriront des Ravel ou des Bartok dont il est le contemporain, Rachmaninov reste immuablement attaché au système tonal, fidèle au romantisme russe et aux formes musicales auxquelles Tchaïkovski a donné ses lettres de noblesse. Mieux qu'aucun autre, il a donné au piano toute sa possibilité d'exprimer une angoissante beauté, ce chemin entre tout ce qui est possible et la tristesse du renoncement à ce paradis entrevu, accessible par la musique puisqu'elle n'a pas besoin d'anges : elle est le message. Rachmaninov est à la fois le dernier compositeur romantique du XXe siècle et l'inspirateur des grands concertos russes et américains qui seront écrits à sa suite... C'est qu'au-delà de la nostalgie, subsiste chez lui la puissance lyrique, inépuisable, du chant ; au-delà de la torture où se complaît l'âme russe, reste la pureté du cœur et de la vision. Dès les premières notes, chez Rachmaninov, nous sommes happés par la confidence et la pudeur de cette âme nerveuse que la musique arrache à la confusion. Il y a quelque chose de l'ordre de l'apothéose dans cette démarche, qui me séduit et me ravit. Et puis, quelle existence ! Naître à Oneg en 1873, au fin fond de la province de Novgorod, et mourir en 1943 à Beverly Hills ! Avoir vécu entre deux déflagrations, celle de la révolution russe qui le chasse de son pays et la seconde guerre mondiale qui annonce le temps de toutes les apocalypses...

Enfant, j'étais tombée sur un portrait de ce compositeur. Le regard fixe et sombre qui perçait dans ce long visage tourmenté, la bouche épaisse, les mains immenses, capables d'embrasser toutes les octaves et de brasser une gerbe de notes fleuries, m'avaient fascinée. Sergueï Rachmaninov me regardait ; j'avais vraiment l'impression qu'il me regardait, moi, au moment précis de ce portrait, le dos tourné à sa terre natale, écarté au plus lointain géographique de ses campagnes slaves, aux clochers en bulbes de tulipe et oignons juteux de crocus. J'ai contemplé pendant des heures ces yeux, ces oreilles paraboliques, étape obligée au souffle du monde, ces mains... Ces yeux qui avaient vu les notes du *Deuxième Concerto* avant même de le concevoir, ces oreilles qui les avaient entendues et ces mains qui les avaient écrites puis exécutées.

Est-ce pour cette raison que j'ai toujours éprouvé une grande tendresse pour le *Deuxième Concerto* ? Longtemps, son histoire – celle d'une renaissance – m'a laissée songeuse. Sergueï Rachmaninov a vingt-sept ans quand il le compose. Encouragé par Tchaïkovski, il a déjà connu un grand succès avec son opéra, *Aleko*, composé en 1892 – il a alors dix-neuf ans. Cinq ans plus tard, il livre à ses admirateurs impatients la *Troisième Symphonie* : la réponse du public et des critiques est glaciale ; le flop, retentissant. D'une santé fragile, d'un équilibre psychique précaire, Rachmaninov plonge dans une phase de dépression terrible : il se croit stérile. Des nuits et des jours devant le piano ne créent aucune étincelle. Il plonge, doucement, inexorablement, conscient de sa chute et, en même temps, de son impuissance à la stopper. Heureusement, 1897, c'est la pleine époque de Freud et des espoirs en la psychanalyse. Rachmaninov entreprend une thérapie.

Sa traversée du désert va durer trois ans. Et puis, merveille, à l'issue de cette analyse et du traitement qu'il subit, il écrit le *Deuxième Concerto*. C'est un nouveau départ, un élan irrépressible vers autre chose et, dans le même temps, ce phrasé musical lui permet d'échapper à son instabilité et à la dépression, même s'il rechute, par à-coups. Tendons l'oreille : souvent, dès le premier mouvement, le glas retentit ; il marque le travail de deuil qu'opère Rachmaninov sur ce qu'il n'aime pas chez lui, quoiqu'il cesse de se soucier de son image et de l'avis des autres. Les premiers mouvements sont ceux d'une œuvre incontestablement très conflictuelle.

Autant le dire, ces contorsions de l'âme m'enchantaient, surtout à cette époque. Dans ma vie, comme dans l'œuvre, je ressentais de grandes tensions et des moments d'intense réconciliation avec moi-même. Des réminiscences du déchirement, des instants de plénitude et d'acceptation du cours du temps et des choses.

Je voulais étudier cette œuvre, et je voulais l'interpréter. Par elle, je sentais que l'amour et la musique peuvent tout ; tout hormis « n'être pas ».

Jouer le *Deuxième Concerto* de Rachmaninov, c'était « être », écrire une lettre d'aveu, me dire tout entière dans une tonalité immatérielle...

C'était m'offrir à celui qui ne me voyait pas.

***

Tout semblait étrange, et nouveau. Amsterdam d'abord, où l'enregistrement du compact disc devait avoir lieu. Ville aux maisons de poupées, plus gravure de livre d'enfant que carte postale. C'était mon premier voyage professionnel à l'étranger et j'étais entourée comme une professionnelle, avec infiniment de déférence et en même temps, avec une prévenance impersonnelle et totalement mécanique. Autant dire : le contraire de ce que je vivais au Conservatoire où plus qu'ailleurs certainement, le sens « scolaire », la notion d'apprentissage, la verticalité des relations de maître à élève sont inculqués, mais toujours dans une relation affective forte – l'enseignement y est cousu main et l'individualité de chaque élève respectée.

J'étais à la fois totalement inconsciente de l'importance et de la rareté de ce qui m'arrivait et particulièrement impressionnée. La salle, toute petite, resplendissait. Elle était comme un écrin qui recèle un bijou. Et quel joyau ! Un piano magnifique, l'un des plus beaux avec lesquels j'aie jamais joué. Dès que je me suis installée au clavier, j'ai oublié le but de ma présence – le CD – et les conséquences probables de cet enregistrement. J'étais entièrement aspirée par le plaisir physique de jouer, avec la certitude que tout était à ma portée, qu'il était en mon pouvoir de repousser le seuil des possibles. J'avais en mémoire l'émotion qui m'avait foudroyée lorsque j'avais entendu pour la première fois la deuxième sonate de Rachmaninov. Dès les premières mesures, c'est un déferlement de notes, un remous de l'âme qui ne s'apaise jamais. J'ai été tétanisée par cette ampleur, la formidable puissance avec laquelle cette sonate incarnait le monde de Dostoïevski dans lequel je me plongeais chaque soir, dans les chambres que mes parents louaient à mes diverses familles d'accueil, et qui effaçait magiquement, page après page, les maisons, les rues, les faubourgs, les misères et les mensonges... Immédiatement, j'avais été hantée par une obsession : à mon tour, je jouerais cette sonate. À mon tour, je la pénétrerais.

Avant d'enregistrer le compact disc, j'ai ressenti pour la première fois des symptômes qui ne m'ont plus jamais quittée les veilles de concert. Le matin du rendez-vous, dans ce studio d'Amsterdam, j'ai souffert de ce que j'appellerai le phénomène adrénaline. Le cœur s'accélère ; le sang se retire des extrémités. Une hyperventilation hache la respiration. J'étais à la fois très concentrée et la tête totalement vide, les jambes cotonneuses, l'estomac battant la chamade. Autant le dire, aucune de ces sensations n'est agréable mais il faut apprendre à les accepter, à vivre avec elles, à les contrôler à défaut d'en guérir.

Ce jour-là, comme avant d'entrer aujourd'hui en scène, j'ai fait des exercices de respiration. Je vide mes poumons. J'inspire de grandes bouffées d'oxygène par le ventre ; j'apprends à contrôler mon flux respiratoire. Alors, le sang afflue d'une façon différente et par cet exercice, je me mets en position de disposer de mon centre, je me place dans la phase alpha du cerveau. En même temps, je m'organise des projections mentales ; je me concentre en imaginant trois choses. Je fixe la première, puis la deuxième, puis les trois ensemble, comme les trois cerises d'un bandit manchot. Cette technique m'implique dans le rythme jusqu'à atteindre l'illumination. Le principe est de contrôler parfaitement sa respiration tout en focalisant son attention sur les images qui défilent. En fait, atteindre la phase alpha du cerveau, c'est atteindre la transe, le rythme idéal, comme avec les mantras des bouddhistes. Le but, c'est qu'au fur et à mesure de l'exercice, le cerveau ne formule plus de pensée distincte.

Il est un autre exercice que j'apprécie particulièrement : s'imaginer un endroit que l'on aime, ou que l'on aimerait visiter, par exemple la terrasse d'une tour d'où l'on jouit de la plus belle vue sur le monde. On voit un escalier ; au bas de cet escalier, on voit une pièce ; cette pièce est prolongée par une porte ; on ouvre la porte ; on pénètre dans la pièce et là, on découvre quelque chose ou quelqu'un. Ce qu'on découvre, le plus souvent, c'est un être cher ou disparu, en fait notre propre voix intérieure.

Ce que m'a appris ce premier enregistrement, si riche en enseignements, c'est qu'il faut faire attention au corps, mais dans un sens spirituel. Nous souffrons tous de mouvements répétitifs. Nous prenons tous des habitudes en grandissant, alors qu'il s'agit de s'en défaire. Il faut alors réapprendre à mieux bouger son bras, sa tête, son torse, ses jambes. La plupart des gens ignorent leurs muscles ; ils n'en ont aucune conscience ; ils ne connaissent rien d'eux-mêmes. Qui connaît les courants neuronaux, l'origine de nos impulsions nerveuses, autant dire : toutes les chances de s'élever ? Le corps conditionne le raisonnement. Se défaire des habitudes quotidiennes du corps, c'est se donner la chance d'un autre rapport à la pensée.

Le jour de l'enregistrement du CD fut, pour moi, un jour normal. Je vivais ces premières heures comme n'importe quel concert ou récital de concours. J'étais simplement heureuse d'être avec un piano magnifique, et d'avoir la chance de pouvoir jouer plusieurs fois de suite les passages qui ne me satisfaisaient pas. Pour la première fois, je ne subissais pas la pression du temps – tempo des cours, minuté, tempo de la partition, imposé par l'orchestre. Là, il n'y avait pas d'heure de fin, à laquelle on doit sortir impérativement du studio. L'enregistrement, s'il vous coupe de la vérité du public, de l'immédiate émotion, offre la jouissance de renoncer à des choix préliminaires qu'on n'aime plus, et de pouvoir les refaire, en mieux. J'avais travaillé des heures cette sonate, réfléchi au baume qu'apportent ces notes filées par une même haleine, lors du second thème, au tempo exact de la marche, à la texture précise des passages lyriques... Ce fut une très bonne expérience.

Et pourtant, lorsque j'ai entendu le résultat du CD, je me rappelle mon hésitation. J'étais partagée entre deux réactions totalement contradictoires. D'une part, l'émotion intense de s'entendre sur un support professionnel ; d'un seul coup, les mois, les années de travail, de répétition, de recherche, trouvent leur sens. Tous ces mouvements de mains, l'animation que votre être insuffle au piano et à l'œuvre d'encre et de papier, degré après degré sur l'échelle musicale, gradin après gradin sur les marches de l'octave, tout ce labeur enfin que vous pensiez envolé comme le temps et les années mortes se cristallise comme par magie. Cela existe ! C'est vous, c'est à vous, ce sera vous des années après votre disparition – en même temps, vous avez porté vers un inconnu qui n'est peut-être pas encore né cette sonate de Rachmaninov que vous avez tant aimée...

D'autre part, l'émotion passée, la terreur m'a envahie. Je n'entendais que des défauts sur cet enregistrement. J'étais affreusement déçue. J'en avais tant espéré ! Au moment de jouer, entièrement concentrée sur l'exécution et d'autant plus passionnée que je savais le filet de protection bien tendu puisque chaque passage qui me frustrait pouvait être repris à l'envi, j'avais exulté. Qui peut deviner la secrète jubilation de jouer à l'unisson avec soi-même, dans la sophistication extrême d'un studio d'enregistrement ? Respirer lentement, calmer ce point brûlant dans les vertèbres, donner une couleur aux notes ou rechercher simplement celles qui m'apparaissent lorsque j'écoute une œuvre : voilà les bons exercices. Mais dans la jeunesse de ma pratique, quel poids apportaient-ils dans la balance de mon excitation ?

— Alors, Hélène, qu'en pensez-vous ?

Le preneur de son avait livré à ma curiosité la version définitive du CD. Gentiment, dans sa barbe et par-dessus son ventre de bon vivant, il attendait mon « bon pour », mon satisfecit. Je levai vers lui des yeux presque noyés de larmes. J'étais tellement désappointée, insatisfaite ! J'ai composé un sourire radieux, je l'ai affiché sur mes lèvres, et après un hochement de tête qui simulait le contentement total, j'ai tourné les talons.

Je me disais : vraiment ce n'est rien de spécial. Pour une œuvre enregistrée tant de fois, avoir gravé une énième version aussi plate, aussi peu accomplie dans l'interprétation, qui n'évolue nulle part et en aucune façon, c'est une honte !

La belle importance que j'en attendais, pour L'impressionner, s'effondrait comme un soufflé. « Oui, bon, et alors ? » Voilà tout le commentaire que méritait ce travail. Fort heureusement, il était convenu de ne sortir le CD qu'après mon prix, à l'occasion d'un événement opportun. Je priai pour que l'enregistrement s'égare sur des rayons poussiéreux et je résolus froidement de ne plus jamais toucher à cette partition...

Il faudra quatre années, quatre années de purgatoire, pour que je revienne à Rachmaninov. L'occasion s'est présentée sous la forme d'un concert avec Vladimir Fedosseiev. Je n'étais pas avide de ces retrouvailles : je ne me sentais aucun désir particulier de m'attaquer encore à cette partition, de me demander une nouvelle fois si son *Deuxième Concerto* marquait chez son compositeur une rupture définitive avec la période de silence et de dépression qui avait précédé son écriture, ou s'il ne s'agissait que d'une tentative d'oubli, d'un sursaut mais non exempt de rechutes... J'ai travaillé, et travaillé encore ; puis, deux jours avant le concert, l'œuvre m'est apparue, lumineuse, autre, claire. La ligne et l'architecture se sont révélées dans leur ensemble, avec une grande cohérence et tout autant de sobriété – un côté spartiate, même si le mot convient peu à Sergueï Rachmaninov. Avec cette vision, la flamme nécessaire pour interpréter le concerto, comme toute autre partition, renaissait, haute, droite, brillante.

J'aime me souvenir de cette histoire dans mes

moments de doute : elle dit, à elle seule, le danger des œuvres avec lesquelles on grandit. Elles courent le risque de devenir communes dans votre paysage ; lorsqu'on les reprend au bout d'un laps de temps important, alors il faut se hisser jusqu'à elles avec un effort infiniment plus laborieux que la première fois. Inutile de vouloir couper à ce labeur : l'exécution est immédiatement sanctionnée. Accepté, le travail qui commence est étonnant, presque étrange : il s'agit d'évaluer la distance que vous avez parcourue depuis la première interprétation, d'étudier et d'analyser ce chemin, qu'il soit maturation de l'âme ou technique pure de jeu. Opérée en toute honnêteté, cette introspection révèle souvent les déformations dont on peut être victime, les défauts, les cécités, les surdités...

Quoi qu'il en soit, le résultat de ce premier enregistrement m'avait trop déçue pour que je m'attarde des heures sur lui. Je l'effaçai littéralement de mon esprit, en colère parce que la colère était, à l'époque, un état qui m'envahissait fréquemment.

L'été qui suivit l'enregistrement du CD, je passai mes vacances dans les Alpes avec mes parents. Cette échappée belle loin de Paris et du Conservatoire me fit un bien fou. Les longues promenades dans les alpages, la vision furtive d'un chamois dans la lumière ocellée du soir, sous les grands pins noirs qui s'élevaient vers le ciel comme des mains en prière, la profusion échevelée des grandes herbes et des fleurs sauvages dans les chemins pétillants de senteurs, le sommeil rond des marmottes que je surprenais au petit matin, tout m'enchantait, et me rendait à mon enfance. Tout, sauf la fièvre de ce sentiment amoureux insatisfait, orphelin, et la franche colère tapie au fond de moi mais qui ressurgirait, j'en étais sûre, dès mon retour à Paris. Une colère qui avait un tout autre objet que l'insatisfaction de mon CD...

***

Les Grecs assimilaient musique et chant à l'art du tir : « L'arc vibra, sonore retentit la corde », dit l'*Iliade.* Ulysse éprouve la tension de son arc en touchant la corde de sa main. « Elle chanta bien, comme chante l'alouette. »

Les Grecs aimaient aussi illustrer la connaissance de ce qui est juste par l'image de la flèche qui frappe au but. Or, Apollon, c'est « celui qui frappe au loin ». Par sa musique et les accents de sa lyre, sa divinité s'exprime, pénétrante et claire, lumineuse et libre, parce que sa musique annonce le règne, plein de sens, de la juste mesure. C'est qu'Apollon ne veut pas l'âme, il veut l'esprit...

Et son chant, le chant du plus éveillé de tous les dieux, ne s'élève pas comme un rêve d'une âme enivrée. Il vole tout droit sur une cible clairement choisie : la vérité. Il y vole avec la plus grande précision : elle est le signe de sa divinité. La connaissance divine compose la musique apollinienne : alors, dès qu'elle retentit, la perfection est rendue au monde et l'harmonie avec elle. Avec elle encore, le chaos prend forme, le déchaînement se soumet à l'ordre régulier de la mesure, les contraires s'unissent en accord. La musique est l'arme d'Apollon qui ordonne les règles, connaît le juste, le nécessaire et l'avenir ; elle nous éduque, nous les mortels.

En Apollon, le dieu né du loup, c'est l'esprit de la connaissance intuitive qui nous salue : esprit qui tient tête, avec une liberté sans pareille, à l'existence et au monde.

***

Quelle colère ? D'abord, j'étais en colère parce que Marc Bleuse, le nouveau directeur du Conservatoire national supérieur de Paris, avait décidé de promouvoir la musique contemporaine. Ce n'était pas une mauvaise chose en soi, bien au contraire, les musiciens ont un devoir de se préoccuper de la musique écrite par leurs contemporains et de lui accorder une grande part de leur attention. Mais que m'importait, à cette époque, l'avenir de la musique contemporaine ? Je voulais apprendre, progresser, mettre les bouchées doubles, or je ne connaissais toujours rien du répertoire pianistique important. J'avais d'autres noms en tête que Stockhausen, Xenakis ou Ohana, mais voilà, Marc Bleuse voulait marquer son passage, il désirait que « contemporain » fût sa devise. De plus, il existe d'autres façons d'aborder la musique contemporaine : au lieu de passer de Scarlatti à

Stockhausen, on aurait pu nous faire étudier les dernières pièces de Liszt, ensuite seulement nous initier à Webern, Schönberg...

Or, pour étudier les classiques, nous avions déjà très peu de temps. Les cours duraient une demi-heure et nous avions deux programmes à explorer pour nous présenter au prix : le programme A, centré autour d'une œuvre classique ou romantique, et le programme B, autour d'une œuvre moderne. Il fallait jouer des extraits de chaque style dans chacun des programmes : Scarlatti, un premier mouvement de sonate de Beethoven, un premier mouvement de sonate de Chopin, un Debussy...

Puis, trois semaines avant le concours des prix, on tirait au sort l'œuvre imposée dans un répertoire que nous n'avions jamais abordé. Chaque élève filait l'étudier de son côté. Préparer le concours du prix demandait, vous vous en doutez, un travail colossal qui mettait en jeu l'avenir de tous les élèves. L'enjeu – puis-je le rappeler ? – était d'obtenir le premier prix. Seuls les premiers prix ont le droit de se présenter au troisième cycle. Le troisième cycle dure deux ans, pendant lesquels vous êtes censé prendre deux heures de cours par semaine, suivre les master classes des artistes invités qui passent trois jours à Paris et, en fin de chaque année, vous présenter à un concours international.

Aussi, chaque minute de cours devenait cruciale. Nous n'en perdions pas une miette. Imaginez notre consternation lorsque nous avons appris que sur la demi-heure de programme consacrée au concours, la direction avait décidé de vouer dix minutes à la musique contemporaine ! J'ai explosé ! J'étais déjà tellement frustrée de ne pas pouvoir jouer une sonate en entier, de ne pouvoir exécuter qu'un premier mouvement ! Je travaillais en rage continue, poussant au rouge mes états.

Et ce fut le jour du concours...

Je suis debout devant deux enveloppes, à quelques pas du piano qui luit comme un sourire de loup dans la pénombre de la salle. Sur le côté, les sept membres du jury. Sept personnes mais elles ne font qu'une pour moi. Elles constituent le même organisme, ondulant, fiévreux, tapi sur sa chenille de chaises – une méduse dotée de plusieurs têtes, d'une multitude de doigts armés de petits carnets et de crayons qui s'agitent dans l'air, moitié baguette de chef d'orchestre, moitié règle d'écolier. Un moment, j'ai l'impression d'être revenue sur les bancs de l'école : « Mademoiselle Grimaud, au tableau... »

Je prends une enveloppe. Je me surprends à penser « Ai-je une préférence ? » et je déplie le papier avant de trouver une réponse. Mon cœur me la donne, il s'accélère : « Programme B. » Pour cette partie, j'ai choisi l'*opus* 33 des études de Rachmaninov. Je joue comme j'aime Rachmaninov, comme si j'étais Rachmaninov donnant la première audition de son œuvre et désireux jusqu'aux veines de la faire aimer. Je joue intensément. C'est fini. J'attends. J'attends et le jury rend son verdict. Cinq voix sur sept. C'est bien, très bien même, mais je suis folle de rage : jusqu'à présent, j'ai toujours eu mes concours ou mes prix à l'unanimité des voix.

La consternation et le dépit barrent mon front de façon si évidente que les deux qui m'ont désavouée se justifient :

— Comprenez bien, à votre âge, jouer cette pièce-là ! Et comment savoir si vous avez du talent ! Il est encore trop tôt. D'autant que vous avez joué Rachmaninov ! Si encore vous aviez joué Chopin, un grand compositeur celui-là...

— À quinze ans, vous manquez trop de maturité et votre talent n'est pas confirmé. Nous en avons tellement entendu de ces petits prodiges dont l'étincelle s'est éteinte à jamais.

J'étais blême. Que dire ? J'avais tiré le programme B. Le programme B était centré autour d'une pièce moderne. J'avais donc choisi Rachmaninov. J'aurais pu choisir Ravel ou Debussy, effectivement, mais l'interprétation de ces deux derniers compositeurs éclaire-t-elle mieux sur la maturité, la longévité ? Si j'étais trop jeune, pourquoi me laisser jouer ? L'incohérence de l'argument me révoltait. Et pourquoi pas la couleur de mes yeux, me disais-je ? Ou ma taille, ou mon origine provinciale ? Ah ! Ah ! Ah ! Joue-t-on Rachmaninov quand on a été élevée au milieu des cigales, dans le chant syntaxique de Giono et Pagnol ?

Colère, colère...

— Tu as ton premier prix, me disent mes parents, les gens qui m'entourent. De quoi te plains-tu ?

Et au Conservatoire : « Quelle folle exigence ! »

Et quel caractère ! In-transigeante. Mais intransigeante je l'avais toujours été. « Il faudra que tu apprennes à mettre un peu d'eau dans ton vin, Hélène. » Combien de fois ai-je entendu cette phrase ? Dans les moments où je jugeais, justement, que beaucoup devraient mettre un peu de vin dans leur eau, leur eau tiède, insipide... et souvent trouble.

— L'essentiel est que tu puisses te présenter au concours d'entrée du troisième cycle.

Certes, mais qui fait encore partie du jury de ce concours d'entrée ? L'un des membres qui justement me trouvait trop jeune.

— Je ne veux pas ! Qu'ils aillent au diable, tous ! Je refuse de jouer devant des imbéciles qui collent des conditions arbitraires aux candidats. Qui jugent de la maturité en fonction de l'état civil.

J'avais mes arguments : la maturité est de tous les âges. Elle advient après un franchissement progressif de seuils : plus ou moins précoce, plus ou moins étalé dans le temps. Nous vivons toujours de nouvelles expériences qui ne sont pas forcément liées à un processus chronologique. Je les assénais à celui que j'aimais. Je voulais qu'il entende leur double sens. Je me sentais mûre à point, rôtie au feu de la passion.

Il me dit les siens. Doctement. Dans ma vie, j'allais rencontrer des dizaines d'imbéciles, ou d'individus que je jugerai comme tels. Chacun aurait-il le pouvoir de m'écarter de mon chemin ? J'étais donc capable de faire les choses uniquement à ma façon, selon mon seul point de vue, et incapable de les faire pour moi, uniquement pour moi, avec l'intensité suffisante pour n'écouter rien d'autre que la musique à venir ?

Oui ? Non ?

Deux semaines plus tard, j'étais admise à l'unanimité en troisième cycle.

***

Amour. Amour de mes quinze ans. Amour qui me donnait l'illusion que j'étais née avec toi – amour mon commencement ; et que je ne te survivrais pas – amour ma fin inimaginable.

Amour, quelle que soit la forme sous laquelle tu nous apparais ou ton incarnation sur cette terre, dans notre monde, c'est toi, dieu immortel, qu'on aime la première fois. Tu surgis comme une apparition, un fantôme qui soudain scintille dans la nuit, forme lumineuse et insaisissable qui habillait mon propre corps d'étoiles. Je bougeais, je brassais l'air et comme dans les eaux tièdes de l'été, sous la lune, l'amour comme la mer allumait ma peau de milliers de noctiluques.

Amour que le cœur de quinze ans habille comme une poupée d'habits de lune, veste de soleil, cape de temps, costumes de chevalier, d'Apollon, de magicien, sans savoir qu'à mesure qu'on te pare, on te dévêt de ton mystère. Mais qu'importe ! Amour, incessante création. « Raison mystérieuse et imprévue, mesure parfaite et réinventée », comme le chante Rimbaud. Tu étais ma volonté évidente. Tu m'as fait comprendre que ce n'est pas ce qui vient à nous, mais bien ce qui vient de nous qui est la vie véritable. Je voulais être. Aimer, c'est être. Et c'est créer sa vie bien plus que la recevoir.

***

Que dire des deux années qui ont suivi ? Un tourbillon, beaucoup de travail, d'espoirs, de sourires. La première de ces deux années a été consacrée, tout entière, à la musique et au piano, à suivre scrupuleusement le cursus imposé.

J'ai bien fait mes devoirs. J'ai étudié *Petrouchka*, l'*Appassionata*, la *Waldstein*, *Gaspard de la nuit* et quelques sonates de Scarlatti dont l'une, en *si* mineur, est à mourir. Elle vous étire le cœur à ne plus finir. Je me suis présentée à plusieurs stages. J'ai répété, énormément. J'avais le sentiment de faire des progrès et il n'y a rien de mieux pour se donner le vertige. J'abordais les partitions différemment parce que j'étais beaucoup plus avancée, même si l'approche, quant à elle, restait la même en substance. Le directeur artistique de l'Orchestre de Paris, Pierre Vozlinsky, a entendu la retransmission d'un récital au festival d'Aix et m'a invitée à participer au Midem.

Et puis, et surtout devrais-je dire, il y a eu le hasard, cette fantaisie du destin qui a permis qu'apparaisse la fêlure, imperceptible dans un premier temps mais qui, ensuite, s'est faufilée dans ma réalité jusqu'au constat indiscutable de la brisure.

J'étais tombée par hasard sur une brochure qui vantait la splendeur et les mérites du concours Tchaïkovski. Tchaïkovski, à Moscou ! Dans la grisaille de l'hiver parisien et des bruines froides de février, ces noms ont résonné comme un ordre de départ. Ils ont brillé comme une porte dans la routine du quotidien. Ah, la Russie ! Terre sainte, trois fois sainte où le ciel est clair, où le soleil pare de diamants et d'escarboucles tout le pays, toutes les glaces, toute la neige. Le baromètre y affirme le plus beau temps du monde pour la nature. En ai-je rêvé de cette Russie, blanche et rouge ! De ces plaines, de ces bouleaux, de cette forêt sauvage, indomptable, temple des popes et des moujiks, de cette compassion si violente qui s'épanouit en fleur d'innocence sur le visage des criminels les plus affreux, mais aussi des plus innocentes jeunes filles, des démons et des sorcières.

Je m'étais habituée à visiter la Russie en rêve comme un bloc de nuit, dur et froid. En même temps, cette dureté et cette froideur étaient pour moi comme un baptême : le malheur lui-même avait une présence qui m'apparaissait belle, sereine, pleinement approuvée par le cœur, et le justifiant. Comment rêvais-je la Russie ? Embaumée de cuir, gréée d'une pluie de forêts et de brumes, je la songeais comme un bateau ivre pris entre la mer du Nord, à l'Occident, et la berge infinie d'un Orient illimité : un monde dans le monde, sans plus rien de mécanique. Sur cet ailleurs, imaginais-je, tout portait à l'amour, à la démesure, à une ivresse de l'âme qui va au-delà de l'ébriété des sens. J'arpentais des paysages où la neige est une eau solide, où l'hiver est l'envers d'un temps arrêté qui vous contraint sous la lampe, dans une ombre silencieuse où les formes furtives ont le pas des fantômes. Et toujours cette richesse d'être, ailleurs inconnue : la foi fait l'horizon de la vie, elle en baigne les bords, elle en est l'espoir, elle en forme l'atmosphère, exactement comme la musique.

De la Russie, j'ai tout aimé, sans rien en connaître : les bulbes versicolores des églises moscovites, les isbas et les datchas bâties sur bois et pierres qu'évoquent les héros de Tchekhov et de Tourgueniev. Mon âme a été dans l'angoisse de ces âmes et de leurs flammes tantôt noires, tantôt joyeuses. Je n'en connaissais rien, mais j'en savais déjà tout, à force de dévorer l'œuvre de Dostoïevski et de m'en imprégner jusqu'à ce que chaque mot se fasse, dans mon âme, note de musique, puis concerto, puis symphonie, jusqu'à ce que, lorsque je les ai écoutées pour la première fois, ces œuvres trouvent leurs signatures et qu'elles me soient révélées : Rachmaninov, Scriabine et Stravinski, Rimski-Korsakov, Prokofiev et tout Chostakovitch. Je suis certaine qu'il vous est arrivé, à vous aussi, de recevoir au cours de vos lectures une phrase comme un message personnel.

« Si ma vie avait dû s'arrêter à cet instant, je serais mort avec joie », s'exclame Dostoïevski.

Ainsi, ces mots ont fait leur lit dans mon cœur alors que j'avais à peine quinze ans. Ils ont épousé mon âme, ils l'ont entourée de mille attentions. Alors, dans des rendez-vous amoureux et passionnés, j'ai retrouvé Dostoïevski pendant des nuits entières, cachée sous mes draps avec pour seule lumière une lampe de poche. Dans ses romans que j'effeuillais selon l'ordre des pages et le désordre des passages, grâce à ses mots, guidée par son art si particulier de l'ellipse et de la parabole, je vérifiais que la douleur n'est pas le lieu de notre désir mais de notre certitude. Dostoïevski, à force d'exposer les cœurs désespérés d'éternité, me montrait jusqu'où peut aller l'amour de la vie dans les êtres profonds, nés pour la souffrance ; cet amour-là porte à tous les excès, que l'on appelle ailleurs des crimes selon le droit.

Dostoïevski souffrait de la ville ; il souffrait de la solitude ; il souffrait de lui-même et des autres. Ce qu'il disait, j'en vérifiais le bien-fondé, j'en saisissais toutes les nuances. Mais plus que tout, j'ai aimé qu'il fût cet homme, sensible à toute vie et aux bêtes, d'un cœur si juste, qui ne joue pas le drame des passions. Je le voyais sur la croix avec elles ; et je m'y voyais avec lui par intermittences.

« Passez le premier et pardonnez-nous pour notre bonheur », dit le prince Mychkine en ouvrant la porte à un malheureux de vingt printemps, rongé par la phtisie et l'avidité, et qui va mourir.

« Pourquoi avez-vous tout détruit en vous ? » crie la jeune fille passionnée au prince innocent ; « Pourquoi n'avez-vous pas d'orgueil ? »

Et lui, de répondre, insensible aux vanités comme à sa perte : « Qu'est-ce que ma peine et mon mal si je suis en état d'être heureux. »

Et Raskolnikov l'assassin, à la sainte prostituée :

« Toi aussi, tu t'es mise au-dessus de la règle : tu as détruit une vie, la tienne : cela revient au même. »

Et encore : « J'ai voulu oser : j'ai tué. Et c'est moi que j'ai tué. »

Et encore : « Jésus est avec les animaux avant d'être avec nous. »

Et encore : « Si le juge était juste, le criminel ne serait peut-être pas coupable ? »

Et encore, et encore... Et bien d'autres mots, bien d'autres phrases qui vous enferment en votre conscience et vous rappellent votre propre humanité.

Tolstoï était mon autre source. Il m'a donné une famille d'amis intimes : Anna Karénine, Natacha, le prince André, le Nicolas d'*Enfance* et de *Jeunesse*, mais aussi Levine et sa jeune femme, Ivan Ilitch à l'agonie près de la sienne, le mari de l'amante en délire contre le violon de *La Sonate à Kreutzer*... Enfin, il m'a montré un Jésus qui ne demande ni caresses lénifiantes ni espoirs avilissants : une âme désintéressée, d'abord solitaire, pure de toute corruption. Une âme qui est la signature même de l'âme russe. Une âme portée à la fièvre des passions qui m'a offert la largeur de l'univers. C'est cette âme que j'ai voulu retrouver à Moscou, en jouant Rachmaninov, dans ce concours qui tombait dans ma vie comme une étoile. En ignorer l'augure ? Quelle folie ! J'ai couru à toute vitesse voir mon professeur de piano afin de lui demander la lettre de recommandation, nécessaire et indispensable, pour s'y inscrire.

Autant le dire : mon enthousiasme est tombé à plat. Ma suggestion a provoqué un long soupir, mi-consterné, mi-fatigué. Une nouvelle lubie ! Remettre sur le tapis la question de ces concours internationaux, quand mon professeur m'avait conseillé le concours Busoni, d'une excellente réputation, célèbre pour la rigueur de son jury et l'honnêteté de ses verdicts. En outre, il croyait dur comme fer que je m'y étais d'ores et déjà inscrite.

« Busoni, Busoni. » Ce nom n'avait éveillé aucun écho de bonheur, de mondes enchantés, d'univers au diapason des miens. J'avais accepté son conseil, et je m'en étais tenue là : Busoni ? Hop ! À la trappe !

— Je dois absolument me présenter au concours Tchaïkovski, ai-je insisté.

— Tu n'es pas prête pour ce concours, tu possèdes trop peu du répertoire nécessaire. Tu vas te couvrir de ridicule. Et puis je représente la France au jury ; je devrai donc m'abstenir de voter.

Ainsi, il ne pouvait me donner cette lettre, comme il avait jugé sage de ne pas m'accompagner dans le travail d'une œuvre longue au début de l'année de mention. J'enrageais. Le temps pour l'amadouer se comptait en secondes : la date limite d'inscription tombait le jour même. Je compris que, de toute façon, j'avais peu de chance de le convaincre. Mais je pouvais toujours lui prouver que j'étais capable d'y parvenir. Seule. Toute seule. Mieux qu'une grande.

Je ne lui ai pas dit un mot. J'ai repris ma brochure et j'ai tourné les talons. Droit sur le bureau de mon professeur de déchiffrage ! Lui, au moins, saurait encourager mes audaces.

La lettre de recommandation ? Oui, bien sûr. Et

comment donc ? Sur papier à en-tête du Conservatoire, cela vaudrait mieux. Je n'allais pas le contredire, celui-là ! Pour un peu, je l'aurais embrassé ! Et le papier, devinez, j'en avais une liasse dans le dossier...

À peine demandée, la lettre était écrite. Deux minutes plus tard, mon sésame était sous enveloppe avec les formulaires d'inscription dûment remplis et hop ! dans la boîte aux lettres !

En route pour Moscou !

***

Depuis l'Antiquité, les différents peuples qui se sont réclamés d'un loup ancêtre ou qui l'ont choisi comme totem ont un point commun : ce sont des peuples nomades ou rebelles. En effet, s'il est, par excellence, le chasseur imprévisible et dangereux, le voleur de bétail, le décimeur de gibier tendre et gras aux yeux des agriculteurs et des sédentaires, le loup fascine les guerriers, les peuples du vent et des grands espaces pour ses qualités d'intelligence et de traqueur. Ainsi, les grands peuples nomades et conquérants, Turcs et Mongols, arborent son effigie sur leurs étendards, à l'exemple des légions romaines quand elles partirent, dans toute l'Europe, pour créer l'Empire. « Au premier rang des dieux qui protégeaient les invasions était Mamers, le Mars des Latins, qui plus tard devait engendrer Remus et Romulus et qui guidera, au IIIe siècle avant J.-C., une dernière migration sabine, de Campanie vers Messine. Les hordes avançaient sous le signe du dieu des batailles, derrière l'attribut qui matériellement le manifestait à leurs yeux : le loup, qui les a conduits à Bénévent et jusqu'en Lucanie », écrit Jérôme Carcopino dans son ouvrage, *La Louve du Capitole.*

Dans l'Italie préromaine, trois tribus guerrières invoquaient le loup comme leur aïeul fondateur. Les Lucaniens, comme le raconte Pline, appellent même leur chef Lucius du nom du dieu-loup, Apollon Lukeios, dont les Romains feront Apollon Lycius. Ils gravent l'effigie de cet animal sur leur monnaie, trois siècles avant notre ère, légendée du mot Lukianon pour rappeler que leur nation descendait bien, et en droite ligne, du loup.

Au nord de Rome, les Hirpi-Sorani, les « loups du Soracte », dansaient pieds nus sur des charbons ardents deux fois dans l'année, autour de leurs prêtres, en souvenir de l'oracle qui les avait sauvés de la mort et de la défaite parce qu'il leur avait conseillé de se faire « semblables au loup ».

Les Hirpini, en Europe centrale, vénéraient cet animal ; leur nom signifie d'ailleurs « ceux qui appartiennent au loup ». D'autres peuples en Europe occidentale se désignent sous ce nom : les Volci dans l'actuel Languedoc ; les Veletes en Europe de l'Est, renommés par leurs voisins Volki « les loups », en raison de leur férocité imbattable.

Dans la Grèce antique, de hauts personnages affublaient leur nom de cette épithète glorieuse. Voilà Lykurgue, législateur à Sparte, « celui qui mène le loup ». Le roi Némée, Lykon, grand orateur athénien du IVe siècle avant notre ère. Lykos, le petit-fils de Tantale...

Selon l'historien grec Diodore de Sicile, Macédon, grand héros de Macédoine, portait dans les grandes occasions une tête de loup. Et encore... Certains Scythes qui s'étaient montrés particulièrement valeureux ou féroces dans leurs exploits guerriers se voyaient accorder, par les dieux et selon le fondateur de l'histoire, Hérodote, le privilège de se changer en loups quelques jours de l'année.

Les premiers chevaliers de l'Occident chrétien n'échapperont pas à cette fascination. Nombreux sont ceux qui gravent son effigie, en place d'honneur, sur leurs armoiries. Mille deux cents familles françaises le comptent dans leur héraldique...

Hélas ! Les conquêtes glorieuses s'essoufflent et la nature perd ses mystères. Fées, elfes et nymphes, sagittaires et licornes sont chassés. Les hommes ferment les derniers paradis et jettent les clefs. Quant aux dieux de l'Olympe, ils ont reçu un ordre d'expulsion. Ils se sont exilés... Vers où ? Seuls les loups, maudits, déclarés nuisibles et diaboliques au fur et à mesure que poussent les villes, les pleurent et les rappellent, certains soirs, sous la lune...

6

Moscou, j'y étais enfin. J'avais rêvé de neige sur la place Rouge ; je suffoquais de chaleur. Nous étions au mois de juin et toute la ville baignait dans une moiteur de mousson, une incandescence qui rendait imminente l'idée de cataclysme. Ma mère m'avait accompagnée dans ce voyage entrepris envers et contre tous. Nous venions de débarquer de la navette qui assurait le trajet entre l'aéroport et l'hôtel. Nous partagions le même état de stupeur et d'éblouissement, un décalage non pas horaire, mais physique entre le corps et l'esprit. L'une et l'autre, en pensée, nous étions encore plongées dans notre quotidien. D'habitude, à cette heure-ci... Mais il n'y avait plus d'habitude, seulement la découverte, la nécessaire adaptation. Il s'agissait dorénavant, outre l'obligation de se glisser dans le programme du concours, d'en assimiler les règles, d'apprivoiser le paysage, la ville, de saisir pour mieux les comprendre les mœurs de ces Moscovites dont nous croisions les vies dans les avenues. Fatiguées par le voyage, abruties par la chaleur, il nous fallait bien toute la douceur chuintante de la langue russe, l'incroyable alphabet cyrillique qui transformait les plaques des rues en hiéroglyphes, l'énorme quadrillage des avenues et le cubisme triste de leurs immeubles, pour confirmer la réalité de notre présence ici. Alors, l'une et l'autre nous nous souriions, pour dire toute notre joie à cette découverte.

J'étais radieuse comme rarement. Dès le pied posé sur le sol russe, je m'étais sentie étrangement bien. J'avais eu du mal à préciser ce sentiment de confort. Par exemple, si j'avais songé à la distance formidable qui séparait la ville de la mer comme je m'amusais quelquefois à le faire dans mes moments d'étouffement, matérialisant en imagination les maisons, les banlieues, les petites villes nouvelles greffées aux cœurs des métropoles, puis la campagne de plus en plus présente, puis sautant par-dessus les ponts, les fleuves et les forêts, grimpant en lacets les massifs qui ralentissaient ma progression, tous ces kilomètres domestiqués par l'homme, tous ces espaces mis au pli et au pas, j'aurais dû suffoquer. J'ai toujours eu besoin de vivre près de l'eau, une rivière au moins, avec l'idée de l'océan à portée d'heures. Une rivière, un ruisseau, ou une fontaine pour avoir toujours dans l'oreille la musique de l'eau vive, *legato, rubato,* insaisissable dans ses courbes comme la reptation du serpent dans l'herbe, vert incandescence, dont on ne dira jamais assez l'élégance. Le serpent et la rivière, en même temps lenteur et force, courbes et jet, fluidité et révolte. L'eau près de ma vie, c'est comme une valise toujours prête, comme un billet d'avion en « open » au fond de mon sac – la liberté en puissance. Savez-vous qu'en Indoustan, le serviteur chargé de rafraîchir les demeures en aspergeant les sols s'appelle le « paradisiaque » ? et qu'aujourd'hui encore, les pêcheurs descendants des conquistadores rôdent autour des sauvages Bahamas d'où jaillirait, en bouillonnant, la fontaine de Jouvence qu'ils cherchent et en quête de quoi leurs aïeux étaient joyeusement partis, et joyeusement morts ?

À Moscou, l'enfermement énorme de la capitale dans ses terres, ses républiques immenses, ses steppes et ses toundras, ses lacs et ses forêts de bouleaux, où plus d'un poète s'était perdu et où, sans doute, Léon Tolstoï avait disparu, un soir d'hiver, seul sur son cheval et au bord de sa mort, auraient dû m'étouffer. Pourtant j'étais, malgré tout, bien. Et brusquement, lumineusement, j'ai saisi pourquoi. Pour la première fois de ma vie, le sentiment d'être d'ailleurs, en transit, de passage, m'avait abandonnée.

— Je fantasme peut-être, ai-je dit à ma mère en grimpant dans un autobus, mais je suis persuadée d'avoir vécu ici, dans une vie antérieure.

— Dans une vie antérieure, ou dans une vie intérieure ? a-t-elle plaisanté.

Puis, sérieuse :

— Je te crois si tu le dis ; je crois à ces sensations de déjà-vu, de déjà-vécu. Gérard de Nerval a écrit de très beaux poèmes sur ce thème, tu sais...

Elle m'en récita un, dont les vers évoquaient un vieux château de brique, un parc aux statues tristes. Je la regardais, vive malgré la canicule. Et dans l'instant de ce regard, je compris, comme une révélation, que plus jamais je ne vivrais à Aix-en-Provence, qu'il fallait que j'en parte parce que je n'y serais jamais « heureuse », si tant est que ce mot ait eu un sens pour moi, à cette époque. Ce fut une pensée brève et déchirante comme un adieu, comme lorsque vous regardez quelqu'un et qu'en un éclair, vous devinez qu'il va mourir. Voilà, je n'allais plus être exclusivement sa fille. C'était fini. Je m'envolais...

J'eus l'absurde désir de prononcer tout haut le mot « maman ». Maman, délicieuse maman. Chanson de mon enfance. Elle bravait la vie avec un courage formidable et modeste. Elle m'écoutait. Hochait la tête. Me serrait dans ses bras, calmait le jeu... « Maman » qui s'inquiétait toujours pour moi, son « imprévisible » fille.

Dans l'avion qui nous avait conduites toutes les deux jusqu'à Moscou, je lui avais annoncé que l'amour fou que je nourrissais depuis plus de deux ans avait enfin triomphé. J'avais connu la force et la douceur de ses bras. J'avais annoncé ma conquête à ma façon : brutale, hachée, l'esprit déjà absorbé par le présent, le concours, le répertoire dans lequel je m'étais engouffrée comme un vent fou dans un tunnel, apprenant en vrac, dévorant les partitions la nuit et le jour, fiévreuse.

Un instant, elle avait fermé les yeux, et vacillé, mais elle s'était reprise et n'avait fait aucun commentaire. Je comprenais le combat intérieur qui l'agitait : sa petite, sa Nanou, son enfant, celle qui avait toujours embrassé la vie comme une athlète, en luttes et roulades, devenait une femme. La fillette aux genoux éternellement écorchés qui bondissait à la tête de tous les animaux qui voulaient bien l'aimer, qui rêvait d'être vétérinaire et de vivre dans un zoo, ou alors avocat pour défendre les causes perdues, ou redresseur de torts pour rétablir la justice dans le monde, sa petite lui parlait maintenant d'amour, comme toutes les filles du monde au même âge.

C'était donc un nouveau pas vers le large, mais un large incertain dont personne ne pouvait prédire la météo. Je comprenais son combat intérieur sans deviner l'inquiétude que j'avais instillée dans son cœur ; connaît-on les angoisses d'une mère lorsqu'on a seize ans ? Et puis nous étions à Moscou ensemble, non ? Je retrouvais inconsciemment la vieille complicité qui nous avait toujours unies. Elle restait la seule avec qui j'aimais parler et surtout rire, rire comme cela ne m'était plus arrivé depuis des mois à Paris. D'ailleurs, ici, tout était devenu prétexte à ces fous rires inextinguibles.

L'horrible logistique du concours d'abord. La pire à laquelle j'aie été confrontée, à croire que Jarry et Kafka s'étaient ligués pour la concevoir. Ainsi, les moments les plus importants pour les candidats correspondaient toujours aux heures des repas. Le choix était radical : le génie ou le steak-frites. Je n'étais qu'à moitié prête et dès que j'avais un instant, j'allais dans les salles qu'on nous avait attribuées pour les répétitions. Deux fois sur trois, elles étaient occupées par les leçons habituelles qui n'avaient pas été suspendues. Alors commençait une errance dans les bâtiments gigantesques de la musique moscovite, à la recherche d'un piano, d'un endroit tranquille pour travailler. Et je croisais, perplexes comme moi, de jeunes Russes qui, de leur côté, cherchaient leurs cours normaux, ou d'autres candidats perdus. On pouvait entendre, de loin en loin il est vrai et dès qu'on traversait un couloir, les gammes maladroites que gravissaient laborieusement les doigts des jeunes élèves, en même temps que les plus merveilleuses prestations. C'est ainsi que j'ai reçu le choc de l'extraordinaire version qu'a donnée Roger Murraro de la sonate *Hammerklavier*...

Force me fut de constater – et c'était rageant ! – combien mon entourage avait raison. Je n'étais pas au niveau ; je balbutiais le répertoire. Mais quelle importance ? J'étais joyeuse ; j'observais, comme l'entomologiste ses insectes, les luttes entre les interprètes en compétition, les faux sourires et les coups bas, les grandes générosités aussi. Certains se faisaient un malin plaisir d'assister aux épreuves, de grossir de leur présence hostile le rang des auditeurs. Ils dégageaient une telle appréhension du triomphe de l'autre et une telle jalousie qu'on en sentait les ondes parcourir la salle. D'autres, au contraire, soutenaient leur nouvel ami de toutes leurs forces et ça donnait un joli spectacle de les voir dans la salle jouer en même temps par la pensée, mimant les mouvements du corps des mains et des doigts comme les mères qui ouvrent la bouche en même temps que leur bébé quand elles lui donnent à manger...

Et puis, pendant ces journées qui baignent toujours, dans ma mémoire, d'une lumière solaire, il y a eu ces conversations passionnantes avec ces jeunes Russes qui me parlaient de leurs attentes, de ce que la musique apportait à leurs vies que la réalité politique et économique rendaient particulièrement difficiles. Elles avaient le cœur sur la main et je retrouvais chez elles cette générosité de nature, cette grandeur d'âme dont, depuis longtemps, j'avais rêvé.

Lors des deux soirées qui ont précédé notre départ de Moscou, je suis allée marcher dans les rues, seule. Ou plutôt, en compagnie de mes pensées. Je me sentais bien. Vraiment. Un délicieux sentiment de solitude m'envahissait. J'étais loin du Conservatoire, loin de chez moi ! J'en éprouvais toute la douceur. Et puis, chez moi, où était-ce au juste ? Pourquoi pas ici, seule ?

Ô solitude, ma voie la plus douce !
Lieux où règne la nuit,
Loin du bruit et du tumulte,
Combien vous réjouissez mes pensées troublées !
Oh que j'aime la solitude,
Cet élément de pure essence
Où j'eus le savoir d'Apollon,
Sans avoir à l'étudier...

a écrit la poétesse Katherine Philips, vers que Henry Purcell a mis en musique dans l'une de ses plus belles chansons. Je les ai chantonnés, en caressant l'idée que je ne reviendrais jamais à Paris. J'en eus un frisson de plaisir...

Je n'ai rien gagné à Moscou, je n'ai pas été primée.

Pour autant, mes professeurs avaient raison de

craindre de mauvaises conséquences pour moi. À Moscou, pour la première fois, a germé dans mon esprit l'idée d'une voie solitaire, et le besoin de m'enfuir, loin, haut, pour trouver seule mon chemin.

***

Comme le renard, le loup (*canis lupus*) appartient à la famille des canidés, qui ont cinq doigts aux membres antérieurs, quarante-deux dents et un museau allongé. Avec le chien domestique, le chacal et le coyote, il forme le genre *canis*, caractérisé par un front plus saillant, une queue relativement moins longue et un museau moins pointu.

Le loup mesure 1,40 m de long, auquel il faut ajouter 30 à 50 cm de queue. Son poids varie de 30 à 80 kilos et sa hauteur au garrot peut atteindre jusqu'à 1 m, quoiqu'elle mesure couramment de 70 à 80 cm. La queue est droite et portée dans l'axe du corps. Une glande odoriférante, située à sa base, sécrète une odeur particulière à l'époque de la reproduction. Les pupilles sont rondes. Les oreilles sont pointues et dressées, le cou large et charnu. Les dents carnassières sont extrêmement puissantes et elles ont un relief typique. Les canines ne sont pas seulement extrêmement longues, elles sont très solidement implantées dans les mâchoires ; les incisives sont bien développées. Le pelage des loups varie beaucoup. Il est plus ou moins épais, plus ou moins clair ; la région où vit l'animal détermine la qualité de sa fourrure. Ainsi, dans les pays nordiques, le poil est long, dru, fourni. Le ventre, le cou et les cuisses sont particulièrement couverts. Dans les contrées au climat plus doux, le poil est plus court et moins soyeux. La couleur la plus courante des loups est le fauve mêlé de noir, plus clair sur les parties inférieures du corps, plus roux en été et plus jaune en hiver. La cage thoracique du loup et sa forme très particulière facilitent l'allure la plus courante de cet animal : le trot, et une formidable ventilation des poumons. S'il n'est pas très rapide – sa vitesse de pointe n'excède pas 50 km à l'heure –, le loup est particulièrement résistant à la fatigue : il capture ses proies à l'endurance. On cite toujours le cas du loup levé à Versailles, au XVIIe siècle, par le Dauphin et pris trois jours plus tard à Rennes, après de nombreux changements de chevaux et de chiens. La puissance de ses mâchoires et de son avant-train lui permet de courir avec une brebis dans la gueule ou de traîner pendant des kilomètres le piège dans lequel sa patte a été prise.

Le loup mâle atteint son plein développement à l'âge de sept ans. Son espérance de vie est de quinze ans, âge auquel il parvient rarement, l'homme le traquant sans relâche.

L'aire de répartition du loup couvre une partie de l'Europe, presque toute l'Asie et le nord de l'Amérique. Il est inconnu en Afrique, en Amérique du Sud et en Australie. L'espèce est donc géographiquement répandue, pourtant son aire de répartition ne cesse de s'amenuiser. Il reste encore quelques bandes de loups en Italie, dans le centre des Appenins et dans la Sierra Nevada espagnole.

Le loup s'adapte à tous les habitats, montagnes ou plaines, forêts ou steppes, régions arides ou zones marécageuses, pourvu qu'aucune ne soit trop peuplée.

Éminemment sociaux, les loups se regroupent pour constituer des familles, voire des bandes plus importantes pour survivre et chasser. Dans les quarante-huit États américains les plus au sud que fréquentent les loups, ces groupes varient de quatre à huit individus, avec des records de vingt individus dans le parc de Yellowstone. Au Canada, les meutes atteignent parfois trente individus. Dès l'automne, les petits peuvent suivre les adultes dans leurs traques. Les hurlements nocturnes des loups sont un appel au regroupement, une invitation à rejoindre la meute.

Plus le gibier est important, plus la meute est nombreuse, dont le fonctionnement répond à un jeu social particulier et à une hiérarchie parfaitement établie. Un rituel de postures désigne la place de chaque individu dans la hiérarchie : soumission, menace, défi...

Chaque meute est constituée d'un couple dominant, les loups Alpha, et de jeunes loups nés les printemps précédents qui leur sont soumis. Le couple Alpha décide des heures et des territoires de chasse. Pour posséder la louve de leur choix, les loups se livrent à des combats d'une extrême violence, mais sans jamais s'entre-tuer : le vaincu se soumet en tendant sa gorge à son vainqueur qui ne l'achève jamais.

Et tous les éthologues le reconnaissent : contrairement à ce que prétend sa légende, le loup est plus rusé que le renard. Il est particulièrement intelligent, prudent et très patient.

*
* *

C'était septembre, avec son étrange mélange d'énergie et de nostalgie – plein de projets pour cette rentrée et de tristesse pour l'été finissant, un de plus, un de moins, qui venait de passer. J'étais de nouveau en cours, à travailler, et pourtant depuis Moscou se jouait une révolution en moi. L'idée de cheminer solitairement me hantait. J'écoutais, mais d'une oreille distraite. Je regardais, mais toujours avec cette lézarde énorme dans l'édifice qui ébranlait les fondations mêmes de mon monde. J'avais presque dix-sept ans. N'étais-je pas sérieuse ? comme le prétend Rimbaud. Je n'ai jamais très bien compris ce que recouvre ce terme. On disait de moi que j'étais fantasque, bizarre. Oui ? Peut-être ? Et alors ? ? ? J'étais surtout déterminée à me frayer une voie très personnelle dans la vie et la musique...

Je savais que j'avais toujours bénéficié de professeurs formidables qui me remettaient sur le droit chemin dès que je me perdais un peu au fil d'une interprétation. Je ne contestais pas cette direction ; seulement je voulais, de toutes mes forces, entamer l'étude d'une œuvre entière, l'aborder vierge et parvenir à la jouer en m'exprimant avec elle, à travers elle, et sans que le travail me soit préalablement mâché.

Je voulais exercer mon savoir, affronter la musique dans un tête-à-tête exclusif, construire mon petit laboratoire personnel de notes et d'intuitions pour faire mes expériences, et enfin découvrir de quel dialogue j'étais capable avec les grandes œuvres. J'aurais pu attendre la fin du troisième cycle et l'onction d'un concours international pour clore glorieusement mon cursus. Mais j'étais pressée. Je commençais à nourrir une véritable passion pour la ligne droite, le style et le langage directs. Attendre ? Pourquoi attendre ? Pour stériliser mes envies ?

Quelque chose de mes désirs, de mon âme, avait chaussé les bottes de sept lieues. Ah, bondir ! M'envoler ! Me déployer ! Prendre mon vol, même si j'avais beaucoup à apprendre encore, et si j'apprenais beaucoup – la deuxième année avait été très difficile.

Bien sûr, rester avait ses avantages : pas d'efforts de réflexion, puisque je ne pensais jamais par moi-même. Il suffisait de travailler les partitions comme elles venaient. Lorsqu'un écueil se présentait, on me montrait comment l'éviter. Mon apprentissage suivait une savante gradation des difficultés. Je progressais sur un terrain jardiné pour moi, sur un chemin bordé de haies taillées aux ciseaux à ongles et parsemé de pétales de roses, pas un seul petit caillou pour se glisser dans ma chaussure. Cet encadrement sourcilleux, méticuleux, m'étouffait.

Et Lui, lui que j'avais tant aimé, voilà qu'il disposait de cette part de moi qui s'était donnée à lui, il avait des projets avec elle. Voulait-il l'enchaîner à ce lieu, à sa vie, à un quotidien ronronnant ? J'ai compris qu'il fallait que je le quitte, que je me récupère, que je me regroupe, que je me *recompose.* J'ai compris aussi que je saurais le faire. « Nous avons foi au poison. Nous savons donner notre vie tout entière tous les jours. »

— Je vais quitter le Conservatoire.

— Mais regarde, ça n'est pas possible. Les musiciens travaillent avec leurs professeurs jusqu'à vingt-cinq ans au moins, parfois plus longtemps encore. Et toi, tu crois que seule, à dix-sept ans tout juste, tout frais... Avec moins de dix ans de piano derrière toi... Que va-tu devenir ? Tu vas tout perdre !

Quels curieux arguments ! Je connais aussi des musiciens qui vivent dans cette angoisse : « Ah, mais s'il m'arrivait quelque chose demain, que je ne puisse plus jouer, que j'aie un bras coupé, que ferais-je ? » Moi je sais exactement ce que je ferais. Gagner moins d'argent ? Quelle importance, si je m'amuse, si je conserve mon style de vie. J'ai peu de besoins : une belle maison, une piscine, de beaux objets, une belle voiture, rien de tout cela ne m'intéresse. Et puis, de quoi devais-je avoir peur ? De vivre ?

La peur, toujours, le repli sur soi, le filet de sécurité. Il faudrait pourtant une stimulation bien plus forte que la crainte pour que le monde change et s'améliore. La beauté, l'amour et même le risque.

Comment expliquer à ces gens qui m'incitaient avec les meilleures intentions du monde, à la plus grande prudence. « Sois sage. Sois patiente. Sois soumise... »

« Si vous ne comprenez pas tout de suite, vous ne comprendrez jamais », m'a dit quelqu'un, un jour. Applaudissons : les choses importantes ne s'apprennent pas. La culture, la connaissance, l'étude éclairent ; elles ne révèlent pas. Tout était à vivre. Tout était derrière la porte, encore. Il me fallait simplement la pousser, passer le seuil sans entrave et la refermer derrière moi...

Au Conservatoire, parmi mes revendications (je m'en souviendrai toujours parce qu'il m'arrivait d'avoir, moi-même, l'impression de rabâcher), il y avait essentiellement celle du répertoire. Je voulais jouer du Brahms. On voulait m'en dissuader.

— Tu n'as pas le profil. Tu joues Chopin tellement mieux. Pourquoi ne pas perfectionner l'étude de ses œuvres ? Et Brahms, tu sais, il faut avoir de la bouteille et tout ça.

C'était plus fort que moi. Je lisais les partitions. Sa vie, ses notes, des études et des exégèses, et des partitions encore. Rien ne m'était inconnu ni étranger chez lui. Alors je fermais les yeux. J'essayais de comprendre ce qui me manquait tellement pour qu'on me déconseille ce compositeur. Je ne trouvais rien. Je relisais un concerto. Revenait l'attirance, profonde, indéracinable, le sentiment de familiarité. Je m'entourais de lui. Des livres sur sa vie traînaient autour de moi. J'aimais laisser sur mon piano un volume de ses œuvres. Il m'arrivait de le regarder longuement, puis, sans quitter le livret des yeux, de m'éloigner à pas lents, puis je contemplais longuement le lutrin, le tabouret où je me tenais d'habitude, le clavier ouvert. Cette simple perspective m'emplissait de bonheur, d'évidence.

Dès que j'ai entendu jouer une œuvre de Brahms ou un élève déchiffrer un de ses morceaux au Conservatoire, j'ai éprouvé ce sentiment de *reconnaissance.* C'était très bizarre. Ce sentiment que quelque chose a été écrit pour vous, et que ce quelque chose correspond exactement aux fluctuations de vos émotions. J'avais l'impression de redécouvrir des œuvres alors que je ne les avais jamais jouées ni même entendues auparavant. Je ne me départais pas de ce sentiment incroyable de familiarité, dans le sens de quelque chose proche de vous, fait pour vous.

Je crois assez bien jouer Chopin, mais je ne suis jamais parvenue à ce degré d'intimité avec lui. Brahms a immédiatement pris une place indétrônable dans mon cœur. À la même époque, d'autres compositeurs me laissaient parfaitement froide. Peut-être cela changera-t-il ? Mais le répertoire romantique m'a toujours enchantée ; à seize ans, il m'attirait comme un aimant.

On me dit souvent qu'un artiste doit tout interpréter, tout jouer. Quelle curieuse conception ! Sommes-nous des machines ? Comment imaginer qu'un artiste, un véritable artiste, ait autant à dire, au même moment de sa vie, avec Mozart que Debussy, Bach que Chopin ? Comment croire qu'on peut être tout entier dévolu au monde de Brahms, et en même temps intime avec un univers qui lui est totalement étranger ? Sauf s'il manque ce quelque chose du noyau inentamable de la personnalité, je ne peux pas l'envisager.

Ce que j'ai aimé si profondément dans la musique de Brahms, c'est ce qu'elle raconte, note après note : une vie volontairement retranchée, vouée exclusivement à l'essentiel... Et qu'est-ce donc que cette musique, sinon l'histoire de ce voyageur attendu, toujours le même, toujours un autre, qui a pris passage sur le pont du navire, à l'avant, face au soleil, pour un aller sans retour ? Ce voyageur, c'est d'abord Brahms lui-même, un être jamais résigné dont j'aimais le caractère impétueux, le tourment et les colères, le déchirement émotionnel et le rapport au monde qu'il a traduit si subtilement dans sa musique contrapunctique. Son nom signifie « genêt » en allemand ; et comme le genêt sur la lande aride, Johannes Brahms est né ardent, violent, sensuel et passionné.

Jeune, il était beau comme seuls les génies savent l'être : par l'aveu de leur vie profonde. Il avait des yeux d'ardoise après la pluie : des paupières qui enchâssent le regard d'une lumière pâle ; une bouche calme et virginale, une ombre de sourire qui prolongeait la mélancolie de sa figure blonde, tantôt enthousiaste, tantôt taciturne.

Et quelle passion ! Le grand voyage de Johannes Brahms commence le 30 septembre 1853. Il a vingt ans.Il frappe à la porte d'une maison de Düsseldorf. Un enfant lui ouvre. Ses parents sont des musiciens célèbres : Robert et Clara Schumann.

Brahms a emporté avec lui son dernier manuscrit, la *Sonate en ut mineur.* Ces visites, Schumann en a l'habitude. Il reçoit le jeune musicien poliment, mais sans presque prononcer un mot. Il le prie simplement de se mettre au piano. Johannes Brahms s'exécute : à peine a-t-il terminé le premier mouvement de sa composition que Schumann se lève, enthousiaste. Il appelle sa femme : « Viens ! Tu vas entendre une musique comme tu n'en as jamais entendu », lui dit-il. Et à Brahms : « Jeune homme, recommencez... » Le lendemain, le 1er octobre, Schumann écrira une seule ligne sur son agenda : « Visite de Brahms. Un génie. »

Le fruit de cette rencontre ? Une affaire d'amour entre les trois. Une relation intense, lucide et si particulière : sans doute est-ce Schumann qui aura le plus aimé les deux autres. Cette douleur au bord de l'extase que l'on entend dans l'œuvre de Brahms, qu'est-ce, sinon la musique de l'amour pur, le plus pur, le plus fulgurant ? – l'amour impossible.

Brahms compose comme un astre superbe décrit sa courbe vertigineuse : il n'est lié à rien, ne répond à aucun impératif ; s'il se trouve un accident sur son chemin, il le brise et rentre dans les abîmes de son ciel. Au piano, dans ses dernières œuvres, il révèle des accords d'évidence tragique. Et qu'importe si après avoir aimé Clara, il aura voulu épouser sa fille Julie : elle seule aurait pu lui rendre l'amour de ses deux amis en lui donnant des enfants. Ses notes seront ses seuls enfants.

***

Depuis la nuit des temps, l'homme a rêvé son double et cette idée, suggérée et stimulée par les miroirs, les fontaines ou les lacs, amplifiée par la naissance de frères jumeaux, n'a cessé de fleurir dans les différentes cultures du monde. Pythagore le figure sous les traits d'un être cher : « Un ami est un autre moi-même », définit-il. Platon l'imagine en nous-même, être d'ombre qui nous agite sourdement et dont il faut savoir et reconnaître l'existence. « Connais-toi toi-même », la devise de Socrate, inscrite au fronton du temple de Delphes, n'invite pas à autre chose qu'à cette présentation. Dans les mythologies et les fabliers, ce double vient chercher les hommes pour les mener à la mort. Ainsi, en Allemagne, apparaît le *Doppelgaenger*, et en Écosse le *Fetch.* Edgar Allan Poe met au monde William Wilson dont le double est sa conscience qui finit par le tuer et mourir à son tour. Dostoïevski exploite largement cette idée : elle le hante dans presque toutes ses œuvres ; elle triomphe dans *Les Frères Karamazov.*

L'œuvre de Stevenson décline à l'infini ce thème : la plus célèbre de ses histoires, *Docteur Jekyll et Mister Hyde* raconte comment une potion laisse le double surgir chez un homme, doux mais trop curieux, et comment ce dédoublement lui sera fatal. Mais c'est encore la légende de *Ticonderoga* dont il relate la tragique ballade qui nous éclaire le mieux sur cette idée d'un face-à-face avec cet autre soi-même et qui annonce une mort prochaine.

Pour ma part, la notion du double m'habite depuis l'enfance. Un double géographique d'abord : un lieu qui serait non pas mien, mais moi. Un double à la rencontre duquel j'ai toujours tendu ensuite, et que j'ai cru parfois trouver chez certains compositeurs, tel Brahms. J'aime l'idée de cet autre jumeau, tel que le conçoit le poète Yeats pour qui notre double est notre envers, notre contraire, notre complément – celui que nous ne sommes pas et que nous ne serons jamais. Celui pourtant que je rencontre parfois en concert, lorsque l'heure est magique et l'interprétation accomplie. Vous souvenez-vous des mots que Goethe prête à Hélène dans son *Faust* ? « Simple, j'ai troublé le monde ; double, bien davantage. »

Mais de toutes ces approches, c'est celle des Juifs que j'ai préférée : pour eux, l'apparition du double ne présage pas une mort prochaine ; elle apporte la certitude d'avoir atteint l'état prophétique.

Plus merveilleuse encore, une tradition recueillie par le Talmud évoque l'histoire d'un homme en quête de Dieu, et qui finit par se retrouver devant lui-même...

***

Et c'est ainsi qu'un matin, j'ai quitté le Conservatoire. J'ai tourné les talons. J'ai déserté les classes. Je suis rentrée à Aix, chez mes parents.

Je savais ce que je voulais : la solitude. M'envoler seule. Mais comment ? Je ne le savais pas très bien. Je me suis repliée, en moi, dans ma chambre, dans mes partitions. Je les lisais toute la journée, agitée, en noyade. Elles m'apparaissaient comme la bouée qui surgit dans la tempête sur la crête d'une vague. Travailler, trouver la voie. Je tâtonnais. J'avais la fièvre et aucune peur de l'échec. Pourtant... Si j'avais considéré mes chances, j'aurais comptabilisé un zéro pointé. Qui irais-je voir pour qu'il m'écoute sans la caution du Conservatoire, d'un cursus achevé, sans la tutelle d'un professeur ? Et pourquoi m'écouterait-on ? Un concert ? Folie ! J'étais vraiment la seule à me savoir un destin commun avec la musique. Heureusement, je ne me posais aucune question de cet ordre. Je travaillais comme je n'avais jamais travaillé avant, ni ne travaillerais après.

Quant à mes parents, peut-être étaient-ils soulagés ? Si l'aventure devait s'arrêter, qu'elle cesse maintenant, se disaient-ils. Maintenant, avant que je sois trop engagée, inapte pour toute autre forme de vie que la musique et alors aigrie, ratée, triste. Toujours, ils ont craint mes revirements de goûts et d'humeur, mes compulsions et mes brusques dégoûts, mes abandons. Si cette dernière passion devait avorter, alors qu'elle meure tout de suite, sur-le-champ.

Heureusement encore, ma bonne étoile brillait bien haut, vaille que vaille, et la chance, cette fantasque petite fée, m'accompagnait. Une chance extraordinaire, née, comme souvent, d'un concours de circonstances exceptionnel. Et survenu à point...

Car si les choses se présentent lorsqu'on n'est pas prêt, rien ne va. Mais il y a des gens prêts, prêts toute leur vie, et pour lesquels les choses ne se présentent jamais. Pour moi, elles ont été là, au bon moment et au bon endroit. J'avais quitté le Conservatoire, et tout allait commencer enfin !

***

Sans doute cela vous arrive-t-il aussi, ce sentiment de déjà-vu, de déjà-rencontré, comme je l'ai ressenti à Moscou – cette impression d'une vie antérieure. Faites-vous des rêves aussi, de ces rêves que la réalité qui les rattrape baptise « prémonitoires » ? Rêvez-vous la vie à venir ?

Cette nuit-là, je fis un songe étrange et qui revint souvent. J'étais moi, mais en même temps cachée comme une tortue bien calfeutrée dans sa carapace. Je m'étais rétractée dans un espace qui m'était propre, d'où je percevais à peine le bruit du monde : une rumeur, pas plus. Je marchais pesamment, lourdement. J'étouffais un peu. Je ne comprenais pas pourquoi je m'étais enfermée dans cette coquille d'écaille où je me sentais merveilleusement bien. Devant moi, le paysage était énorme de couleurs en boutons, de vent, de pluie. C'était un paysage qui m'était parfaitement inconnu, mais dans lequel j'avais visiblement défriché une grande prairie – un enclos au milieu de bois touffus. Je marchais vers l'horizon, entourée d'un décor primordial d'herbes intensément vertes, mais ratissées par un grand vent. Je marchais dans une solitude à perte de vue. Mon visage recevait la brûlure et le baume des embruns d'un océan que j'entendais rugir, qui se brisait sur des côtes résistantes, têtues, osseuses et grises où des caps guettaient les baleines. Et soudain j'ai entendu un long hurlement, une plainte immense et absolument verticale qui m'a emplie, non pas de terreur, mais de joie, comme si enfin, par un appel, ce que je cherchais m'indiquait la voie pour l'atteindre.

Chaque fois que j'ai fait ce rêve, je me suis réveillée à cet instant précis sur ce ululement comme si cette terre, décapée jusqu'à l'os sous sa chair d'herbe, avait prêté sa voix à cet être inconnu dont la plainte pénétrait tous mes sens.

Je me réveillais sur une vision brusquement entrevue et aussitôt enfuie, donc insaisissable ; depuis, au seuil des nuits à venir, j'ai souvent prié le ciel que le rêve me revienne et avec lui la clef du songe.

***

Je n'allais plus en cours, mais comme tous les élèves de deuxième année du troisième cycle, j'étais inscrite à des master classes. Léon Fleisher était à Paris pour en donner une. Considéré comme l'un des meilleurs professeurs de piano du monde, Fleisher, pianiste et chef d'orchestre, professeur au conservatoire de Baltimore, enseignait avant tout la musique. J'avais entendu parler de lui dans les termes les plus flatteurs. Pédagogue génial et charismatique, Léon Fleisher a toujours été obsédé par une question qui me taraudait aussi : la ligne de chant, si difficile à obtenir pour un pianiste. Il avait une théorie à ce sujet, parfaitement justifiée : « La musique est une force horizontale qui se déroule dans le temps. » J'avais ressenti cette force de façon physique le jour où au Conservatoire d'Aix, j'ai pris dans mes bras un violoncelle. Le contact avait été tellement fort qu'il faillit être fatal à mes études pianistiques : c'était effectivement s'embarquer sur un navire, tenir le gouvernail et lui donner, en même temps et à coups d'archet, la force des vagues. C'était extraordinairement sensuel et Léon Fleisher a bien raison lorsqu'il ajoute à sa théorie : « Dans le cas des instruments à archet, le geste des interprètes est horizontal ; il est en phase avec la musique. Idem pour les instruments à vent. Le drame du pianiste, c'est que son action est exclusivement verticale. C'est le défi permanent de notre art. »

L'autre élément qui me poussait à ne manquer ce cours sous aucun prétexte, c'était Brahms, encore Brahms. Léon Fleisher avait enregistré les deux concertos de ce compositeur, ainsi que les *Valses opus 39* et les *Variations sur un thème de Haendel* avec un brio époustouflant. Il avait la clef, et je la voulais à mon tour. Je voulais saisir de quelle façon, par quelle magie, il trouvait l'union entre la forme générale et le détail, et comment l'un et l'autre participent à la fluidité de l'interprétation.

La veille des master classes, il donnait un concert. Le *Concerto pour la main gauche* de Ravel, que dirigeait Daniel Barenboïm. Je m'y suis précipitée et je l'ai écouté de toutes mes oreilles, attentive quoique émerveillée. Je percevais physiquement sa vision exceptionnelle de l'ensemble de l'œuvre, appuyée, au-delà de la technique, sur une maîtrise du son et du discours sans égale qui entraînait dans son brio tous les musiciens de l'orchestre.

Le lendemain, j'étais la première devant la porte des master classes. Autant le dire immédiatement, dès que je l'ai saisi, j'ai détesté le principe de ces cours. Ce faux dialogue entre le jeune musicien qui s'exécute au piano et le Maître qui lui parle, mais essentiellement pour être entendu des autres élèves, a quelque chose de faux, de convenu, de théâtral et de condescendant qui m'a fortement agacée.

Mais maintenant, c'est à mon tour de jouer. J'interprète le premier mouvement de la *Sonate en fa dièse* de Schumann. Le dernier écho de note dissipé, je lève la tête vers Léon Fleisher. Il a un regard indéchiffrable derrière les verres carrés de ses lunettes. Je ne baisse pas les yeux. J'attends.

— Pensez-vous que le piano doive sonner comme un piano, ou plutôt comme un orchestre ? me demande-t-il brusquement, et d'une voix forte de façon que tout le monde entende, mais ça, je ne l'ai compris que plus tard.

Il m'aurait giflée, l'effet n'aurait pas été aussi désastreux. Pourquoi me posait-il cette question ? Il n'y avait pas une seule fibre de moi qui n'ait pas été convaincue de la réponse. Bien sûr, le piano *devait* sonner comme un orchestre. J'étais d'autant plus vexée que, de toute évidence, ma réponse était téléguidée : il m'avait posé cette question pour que je réponde exactement comme il l'entendait. Il ne notait pas seulement mon travail ; il s'en servait pour faire son cours. Qu'imaginait-il ?

J'allais rosir, baisser les yeux et répéter « Oh oui m'sieur, le piano doit etcetera... » ?

— Hier soir, lorsque vous avez joué le *Concerto pour la main gauche* de Ravel, vous aviez plus de couleur dans votre jeu que tout l'orchestre.

Pas un mot de plus. Pas un cil baissé. Il m'avait posé une question ? Je lui donnais la réponse exacte. Un piano bien joué, c'était cela même : davantage de couleur et de timbre dans la sonorité que l'orchestre tout entier et autant de richesses que le pianiste lui offrait de variétés.

Léon Fleisher me regarde et me dit dans sa barbe :

— Ne m'embarrassez pas...

Je m'attendais à tout, sauf à ces mots. J'étais éberluée, incapable de détacher mes yeux de son visage, de sa petite barbe, avec cette phrase dans ma tête. Comment un professeur de cette trempe et de cette réputation prenait-il comme une flatterie une remarque qui n'évoquait que le jeu pianistique ?

Que répondre à mon tour ? Rien. Je me suis renfermée. J'ai fini ma leçon. Et lorsque, quelques mois plus tard, Daniel Barenboïm m'a conseillé d'aller travailler avec Fleisher à Baltimore, ma réaction a été immédiate et obstinée.

— Non.

L'incident n'avait rien entamé de mon admiration pour lui, pour l'énergie extraordinaire que dégage son jeu, son intensité musicale presque palpable. Mais c'était non. Je voulais avancer seule. Toute seule. Être indépendante.

Si Léon Fleisher avait été le Bon Dieu, j'aurais

refusé de la même façon. Daniel Barenboïm, ce jour-là, a eu beau me suggérer d'aller à Baltimore – et où mes parents auraient-ils trouvé l'argent, de surcroît ? –, mon refus était tout aussi définitif.

J'ai revu Léon Fleisher lors d'une autre master classe, deux mois plus tard. J'avais compris, et accepté, le système, même s'il me déplaisait toujours autant. S'est-il souvenu de moi ? Il n'a rien laissé paraître de la première rencontre : amusement ou agacement. Mais jamais enseignement ne fut plus fructueux pour moi que celui de ce jour-là. D'un seul coup, en quelques images, il m'a fait comprendre l'architecture d'une œuvre et son importance, la force directrice d'une ligne générale. « Un pianiste est un architecte qui se sert du rythme comme matériau de base », m'a-t-il appris entre autres belles et grandes choses.

À la fin de la leçon, il m'a dit :

— Quoi que vous fassiez, vous avez le potentiel pour le faire très bien vous-même. Simplement, ne commencez pas trop vite. Jouez aussi peu que possible. Restez à l'écart tant que n'avez pas trouvé votre propre système.

Il m'a serré la main et il a ajouté :

— On m'a dit que vous vouliez continuer seule. C'est une entreprise tout à fait louable et vous avez tout ce qu'il faut pour y parvenir. Allez-y.

7

Au sud de Calcutta, dans le petit village de Midnapore, en cette année 1920, les habitants ont peur. Des esprits hantent la forêt. Des êtres mi-hommes mi-bêtes – des sorciers peut-être –, marchant à quatre pattes, cherchent assurément à maudire le village et à jeter sur lui toutes les plaies du monde. Les derniers hommes qui osent encore s'aventurer à l'orée de ce bois profond abondent en témoignages ; les autres tremblent, lancent des prières et tentent de conjurer les sorts. Lorsque le révérend J.A.L. Singh, en tournée d'évangélisation dans cette province reculée, passe dans le hameau, il trouve sa population prostrée, glacée de crainte. On ne lui parle que de sorcelleries et autres diableries ; enfin, au bout de deux bonnes heures de discussion, il finit par obtenir un début d'explication. Deux heures supplémentaires sont nécessaires pour que les plus téméraires des chasseurs du village acceptent de l'accompagner aux endroits présumés des apparitions.

La petite troupe se met en marche dans l'après-midi puis, après quelques discussions pour établir la localisation exacte du phénomène, on se met à l'affût. Et effectivement, à la tombée de la nuit, comme s'ils sortaient du ventre de la terre, trois loups apparaissent, suivis de deux louveteaux et enfin, fermant la marche, bondissant à quatre pattes, deux créatures frêles et hirsutes, l'œil luisant, grondant comme les loups et filant sur leurs traces. À leur vue, les chasseurs sont pris de terreur et s'enfuient en hurlant. Et quoi que dise, promette ou brandisse en menaces le révérend J.A.L. Singh, aucun n'accepte de revenir sur les lieux, ni ce soir-là, ni les jours suivants.

Une semaine plus tard, le 9 octobre 1920 exactement, le révérend J.A.L. Singh est de retour à Midnapore, entouré d'une petite armée d'hommes recrutés dans un autre village. Il veut en avoir le cœur net et découvrir à quelle espèce appartiennent les deux animaux entrevus.

Tous s'embusquent et comme la première fois, attendent. Enfin, les loups apparaissent, puis les louveteaux, puis les créatures. Les lances et les filets sont prêts. Les chasseurs attaquent. L'ordre donné est simple : attraper les bêtes non identifiées sans les blesser, bien vivantes. C'est sans compter la femelle qui, tous crocs dehors, protège ses petits. La bataille est rude ; il faudra tuer la louve pour capturer enfin les deux proies.

Sur l'instant, le révérend Singh ne peut pas évaluer la nature de sa prise. La nuit est noire et il faut revenir au campement. C'est là, dans la lumière d'un feu, qu'il comprend ce qu'il vient de capturer : ni bestiole étrange, ni sorcier, ni esprit tout droit descendu des divinités maléfiques du panthéon hindouiste ou du Mahabharata, mais deux enfants. Oh ! bien sûr, pas des enfants normaux, comme ceux qui courent dans les villages des alentours. Deux petits d'homme, certes, mais dont la posture et les comportements appartiennent intégralement aux loups. Deux fillettes en fait. L'une semble avoir deux ans à peine, l'autre huit ans. Elles sont conduites à l'orphelinat de Midnapore où elles sont baptisées : la petite Amala, la grande Kamala. Chaque jour dans son journal personnel, le révérend J.A.L. Singh note les activités et les progrès des deux petites filles qu'il va visiter et qu'il observe attentivement. Amala, la plus jeune, vivra un an à peine. Elle décède le 21 septembre 1921. Kamala vivra encore neuf années.

Quand le révérend les découvre, les deux fillettes sont incapables de se tenir debout, de parler. En revanche, leur vitesse de déplacement à quatre pattes est phénoménale. Elles dévorent de la viande crue et, la nuit, modulent « un beau murmure de notes retentissantes, très hautes et très perçantes », comme il est écrit dans le cahier. En outre, elles possèdent un odorat particulièrement puissant, et une vision, notamment nocturne, très développée. Au jour elles préfèrent nettement la nuit. Pendant toute l'année où Amala vécut, les deux enfants dormiront l'une sur l'autre, entrelacées, comme dans la tanière des loups, et lorsque Amala mourut, Kamala refusa de manger et de boire pendant trois jours, flairant les endroits où sa petite compagne avait l'habitude de passer et de se tenir.

Pendant les six premières années de son séjour chez les hommes, jamais Kamala ne supportera les vêtements qu'on tentera de lui mettre, jamais elle ne se servira de ses mains pour dévorer la viande et, dès qu'elle voudra courir, elle se remettra à quatre pattes. Elle n'acceptera pas davantage d'être lavée, à moins d'être maintenue de force sous l'eau, ni de consommer la moindre nourriture végétale. Il faudra ces six années pour qu'elle comprenne enfin et bredouille une quarantaine de mots, pour qu'elle règle son rythme biologique sur celui de ses congénères, dormant la nuit qu'elle finira par craindre d'ailleurs, mangeant avec ses mains aux heures communes et buvant dans un verre. Elle mourra à dix-sept ans.

Le cas de Kamala et d'Amala, les deux enfants-loups de Midnapore, a passionné les scientifiques : il apportait enfin un éclairage nouveau au comportement des loups, que l'on disait incapables d'élever un petit d'homme, contrairement aux singes. Cette thèse s'appuyait sur des observations purement biologiques : une louve allaite ses petits pendant deux mois, puis les nourrit de viande régurgitée. Lorsqu'ils ont quatre mois, les louveteaux suivent leurs parents pour chasser avec eux : qu'adviendrait-il alors de l'enfant laissé sur le liteau ? La tanière est souvent abandonnée dès que les petits peuvent se déplacer seuls...

En fait, une louve peut allaiter ses petits jusqu'à ce qu'ils aient quatre mois ; ensuite elle n'a effectivement plus de lait, mais peut régurgiter une viande prédigérée que des estomacs d'enfants de quatre mois sont capables d'avaler. L'instinct maternel des louves est sans doute suffisamment fort pour les obliger à revenir à leur tanière nourrir ceux de leurs petits – ou assimilés – qui ont besoin d'elle. De plus les loups qui ont élevé les deux fillettes de Midnapore n'appartiennent pas à la même espèce que les loups d'Europe ou d'Amérique. Les loups des Indes sont moins agressifs ; le climat indien est plus clément et la civilisation qui prédomine chez les hommes dont il partage le territoire, l'hindouisme, le protège. Sauf en Inde, où Rudyard Kipling aurait-il pu écrire l'histoire de Mowgli ?

***

Avec le recul, j'ai l'impression que l'été qui suivit cette rencontre avec Léon Fleisher et mon départ du Conservatoire fut celui de la moisson. Tous les hasards, les rencontres, les conversations, donnèrent leurs fruits à cet instant de ma vie.

D'abord, il y a eu cette master classe à La Roque-d'Anthéron, à laquelle j'ai voulu m'inscrire parce qu'elle était dirigée par Jorge Bolet, le fameux Jorge Bolet, Cubain exilé aux États-Unis dès la révolution castriste, diplomate de génie à ses heures, musicien dans l'âme toujours. J'avais vu ses portraits à ses débuts. Son physique à la Rudolph Valentino – d'ailleurs il avait doublé Dirk Bogarde dans un film sur la vie de Franz Liszt – augurait avec le monde un rapport de séduction intense, une touche chic comme la cerise sur le triangle brumeux des verres à cocktails exotiques, blue lagoon, vert 'ti punch. Jorge Bolet pouvait aborder tout le répertoire, Bach ou Donizetti, Moussorgski ou Bizet, mais il excellait principalement dans les pièces de pure virtuosité auxquelles son toucher électrique donnait lyrisme et poésie. Il avait la réputation d'avoir dépoussiéré Liszt, le répertoire romantique en général et Rachmaninov en particulier. Il avait soixante-treize ans et pourtant, à lire sa vie, si extravagante parfois, à écouter ses enregistrements, je me sentais plus proche de lui que d'un grand nombre de mes contemporains. Je voulais me confronter à un maître ; je le reconnaissais comme tel. Et puis je ne pouvais pas, indéfiniment, travailler seule, dans mon coin, sans l'assentiment ou le désaccord d'un auditoire – professeur ou public.

Je me souviens encore de ma coiffure, le jour de cette master classe, des mains de ma mère tirant cette chevelure tellement indisciplinée, tressant mes cheveux à la romaine avant le concert, pendant que je répétais silencieusement, en esprit, ma partition. Pour ce virtuose, j'avais préparé un morceau particulièrement difficile, je dirais même athlétique, la sonate *Après une lecture de Dante* de Franz Liszt. Et tout en travaillant mentalement, par-delà les fenêtres de ma chambre, je contemplais les platanes séculaires du parc dont le parfum particulier me rappelait Aix, l'automne et les rentrées des classes. On fêtait la sixième édition de ce festival baptisé aujourd'hui la « Mecque du piano ». Cette parenthèse, partagée par des pianistes du monde entier, avait des accents de vacances ; en même temps elle vous mettait immédiatement au diapason de l'excellence, de la compétition internationale. Et quels lieux pour jouer ! L'abbaye de Silvacane et l'étang des Aulnes, quels meilleurs théâtres pour un concert romantique ! Essayez, vous aussi. Fermez les yeux et répétez ces noms, en les articulant doucement, dans un murmure... Abbaye de Silvacane, étang des Aulnes... Fées et ondines surgissent, n'est-ce pas ? Merlin et Mélusine sous la baguette d'Orphée...

À La Roque-d'Anthéron, vous ne pouvez pas rêver autre chose que d'être un « grand » à votre tour, d'être invité un jour à donner un concert, d'enflammer les foules, de les emporter avec vous dans ce temple construit non pas de pierres mais de notes, non pas pour la violence héroïque d'un exploit guerrier ni un rêve barbare, mais pour le monde le plus subtil qui soit, fait d'un long et caressant ébranlement. Ici, tout est pensé pour l'excellence. Le pianiste a le choix entre une douzaine de grands pianos de concert. Imaginez-vous, fou d'automobile, dans un garage garni de Ferrari, de Jaguar, de Maserati, ou de Rolls.... À La Roque, c'est une valse de Steinway, Bösendorfer, Fazioli, Yamaha et autres pianos de légende, en prototypes de surcroît, accordés par la star de cette discipline, Denijs de Winter. Tous les soirs, avec ces instruments de rêve, le parc scintillait de brillances sonores – nous plongions à pleines mains dans le tissu même de la musique.

Et puis, autre magie particulière au lieu, les plus grands restaient pour écouter leurs confrères, stars confirmées ou graines montantes. Sans doute connaissez-vous la scène des adieux de Vlado Perlemuter ? »

« Vous y étiez, n'est-ce pas ? » entend-on ; à ce souvenir, votre interlocuteur a l'œil qui pétille. Pour ce dernier concert, vous êtes bien sûr dans le public. Comme un nomade la dernière goutte d'eau du désert, comme le merle la dernière cerise du printemps, vous allez cueillir la dernière note enfantée par cet interprète de génie. Tout ouïe, souffle suspendu, en apesanteur pour avoir les notes, et leurs échos et leurs silences ensuite.

Il bisse cinq fois, Vlado Perlemuter, cinq baisers d'amour inattendus, inespérés, après celui d'adieu. La foule est en délire. Hop ! échappée des fauteuils, elle a couru en haie d'honneur de chaque côté des platanes, tout au long de l'allée qui, de la scène aux loges, transportera l'artiste. Ce soir-là, la vague des applaudissements fait un carrosse au grand maître de la musique.

C'est cela, La Roque-d'Anthéron. Une messe réglée par une liturgie joyeuse et recueillie, dite par un homme en passion de musique. Quelques jours là-bas, au festival, et tous les doutes, toutes les incertitudes s'envolent.

— Comment vas-tu comprendre ses remarques ? s'inquiétait ma mère. Tu ne parles pas anglais...

Et Jorge Bolet, lui, ne parlait pas français. Sur la fiche d'inscription à cette master classe, la pratique de l'anglais était vivement recommandée. J'étais passée outre, certaine que mon attirance profonde pour le répertoire qu'il interprétait depuis un demi-siècle augurait une connivence profonde entre nous, un entendement réciproque qui pulvériserait les barrières de la langue. Je ne me suis pas trompée. Dès que l'ai vu jouer, à sa manière puissante et voluptueuse, j'ai compris ce qu'il souhaitait me transmettre. Et dès que j'ai croisé son regard, j'ai su que cette incommunicabilité de langage ne serait qu'apparente. J'ai joué, et parce que nous ne parlions pas, nous nous sommes quittés sur un sourire dans le regard. Je n'ai pas su ce qu'il pensait exactement de moi, sauf qu'il semblait satisfait de mon exécution, et c'était déjà énorme : j'étais venue pour recevoir un avis autorisé afin d'évaluer la qualité du chemin parcouru.

— Hélène Grimaud ? Je n'ai pas rencontré un talent aussi extraordinaire depuis longtemps ni un spécimen doté d'un tel tempérament...

Jorge Bolet avait confié son appréciation à Alain Lompech lors d'un entretien que le journaliste avait publié dans son journal, *Le Monde*.

Tout a découlé de là. Un article dans un journal de référence, les félicitations d'un maître du piano et quelques heures plus tard, je recevais la visite de Jacques Thelen, qui allait devenir mon agent, et de René Martin, le directeur du festival.

Une incroyable allégresse m'a accompagnée tout l'après-midi qui suivit ces visites et ces propositions. Je me souviens encore de ces heures particulières. J'éprouvais une sensation physique d'épuisement, comme si je venais enfin de parvenir à un palier après la lente ascension d'un escalier particulièrement raide. Comme si j'étais arrivée sur la terrasse de la tour de la Victoire, à Chitor...

***

L'une des légendes qui m'a le plus frappée, et auxquelles est mêlé le loup, notre héros, est celle de la mandragore. Qu'est-ce qu'une mandragore ? Un animal ? Une plante ? Plutôt un être entre les deux, à la limite du royaume végétal et du royaume animal. On tente de l'arracher et elle crie – un cri long, lugubre, qui entre dans le corps comme un venin et s'y répand en stridences intolérables. Roméo et Juliette s'affolent de cette plainte ; d'autres en deviennent fous.

De tout temps, elle a intrigué les naturalistes, les philosophes et les mathématiciens. C'est pour elle que Pythagore inventa le nom d'« anthropomorphe » et l'agronome latin Lucius Columelle celui de « demi-homme ». Selon Pline, la mandragore blanche est mâle, et la noire, bien sûr, femelle. L'odeur des feuilles est si forte que la plupart de ceux qui l'ont respirée sont restés muets.

Elles ont forme humaine ; pour cette raison, la superstition qui veut la mandagore abondante au pied des gibets a eu la vie dure. Browne, dans son *Pseudodoxia epidemica* en 1646, surnomme cette fleur la « graisse des étranglés ». En 1913, le romancier populaire Hans Heinz Ewers la qualifie de « semence ».

En allemand, elle se dit *Alraune* et autrefois

Alruna, de *runa* qui signifia mystère, chose cachée et s'appliqua ensuite aux caractères du premier alphabet germanique. Le secret tiendrait donc au parfum de ses feuilles ? Absolument, et d'ailleurs, pour le médecin Discorides, la mandragore et l'herbe de Circé ne font qu'une. Circé, la sorcière qui veut envoûter Ulysse le rusé. Qu'écrit Homère sur la mandragore ? Livre X : « La racine est noire, mais la fleur est comme le lait. C'est une entreprise difficile pour les hommes de l'arracher du sol, mais les dieux sont tout-puissants. »

Les dieux ? Les dieux seulement ? Non, aussi les loups. Pour Pline, il n'existe que deux moyens de cueillir la mandragore. Le premier consiste à tracer autour d'elle trois cercles avec une épée. Il faut alors regarder le ponant et retenir son souffle le plus longtemps possible : son odeur est si forte qu'elle coupe à jamais la parole à ceux qui la respirent. Le second, c'est d'apprivoiser un loup pour lui commander d'arracher la fleur. Lui seul peut y parvenir sans provoquer d'innombrables malheurs. Surtout, en mourant – aucun n'a survécu à l'épreuve –, le loup communique aux feuilles de la mandragore ses pouvoirs. Passeur d'éternité, le loup, en rendant son dernier souffle, les fait alors narcotiques et magiques.

⁂

« Il y a deux sortes d'hommes, ceux qui subissent le destin, et ceux qui choisissent de le subir », dit, je crois, le Coran. J'ai choisi de le subir et il m'était, somme toute, favorable. Cet été 1987, il y eut cet article dans *Le Monde*, la rencontre avec mon agent Jacques Thelen et celle de René Martin, le directeur du festival de La Roque-d'Anthéron. Peu avant, j'avais été conviée à donner un concert au Cloître, au festival d'Aix-en-Provence, où Pierre Vozlinsky, le directeur artistique de l'Orchestre de Paris, a entendu mon récital et m'a demandé de rencontrer, pour une audition, Daniel Barenboïm. Enfin, le fameux CD est sorti et, contrairement à toutes mes réserves d'alors, il a été très bien reçu puisqu'il a obtenu le Grand Prix du disque ; les producteurs de la maison Denon m'ont demandé d'en graver un deuxième...

Rien de très spécial ni de très particulier en fait ; la chance et sa baguette magique orchestraient ma partition ; je saisissais alors les opportunités dès qu'elles se présentaient. Premiers concerts, premiers enregistrements, premières critiques dans la presse, premières rencontres professionnelles. L'allée musicale dans laquelle je m'engageais, sous les tilleuls verts de la promenade, s'annonçait bien droite et même inouïe pour une pianiste de dix-sept ans.

De ma relation amoureuse, il ne me restait aucune nostalgie, seulement une légère souffrance née de la rupture et des blessures infligées. Aucun regret mais au contraire un sentiment de libération. Devais-je m'en étonner ? En souffrir ? L'amour ne me manquait pas. Obtenu, conquis, il m'avait oppressée plus que comblée. Vivre à deux m'avait paru bien plus âpre que marcher seule.

Rien n'avait verdoyé alors, sur mon chemin. Mais c'est vrai, j'étais déjà dans un mouvement, un départ, en pèlerinage de musique.

Autour de moi, les filles de mon âge évoquaient voiles de tulle, dentelles, berceaux et enfants, autant de projets qui ne me concernaient en rien. À vrai dire, je les trouvais même incongrus et légèrement effarants. L'amour est sans doute la vision de la flamme des choses ; pour moi, cette vision était essentiellement d'une autre nature. La musique ? Oui, bien sûr, mais pas seulement. De même que je m'étais toujours sentie exilée, ailleurs et d'ailleurs, je pressentais que la musique ne me satisferait pas entièrement. Elle était ma pareille, mon être en partie, moi si fortement que je ne me tournais pas vers elle ; elle ne dessinait pas mon horizon. Elle était à la fois l'énigme et le déchiffrement de l'énigme. Elle n'était pas mon but mais ma compagne, ma malle-poste que j'embarquais dans mes désirs de rompre les amarres pour, enfin, extraire de la vie ce suc dont j'avais la prescience ; ce quelque chose vers quoi tout mon être tendait et que je ne savais pas définir, mais qui était encore l'attente, l'attente délicieuse et palpitante d'un inconnu qui, j'en étais sûre, n'espérait que me dévoiler son nom, son visage, sa nature.

Après ces premiers succès, on commençait à me parler de vocation, de voie toute tracée. Pour la première fois, on ne me considérait plus comme une simple étudiante du Conservatoire national de musique, mais comme une musicienne, une pianiste. Et lorsque, à mon tour, je projetais ma vie à cette unique lumière, un vent curieux, un vent sauvage s'infiltrait par les joints, décoiffait tout, bouleversait tout.

***

« Le loup est tout à fait chaud : il a un peu des caractères des esprits aériens et des mœurs du lion. Les esprits aériens se plaisent en compagnie de sa nature et l'accompagnent. Grâce à sa nature de lion, il connaît et comprend l'homme et le flaire de loin. Aussitôt que le loup aperçoit un homme, les esprits aériens qui l'accompagnent diminuent les forces de cet homme, car l'homme ne sait pas, à ce moment, qu'un loup le voit. Mais quand un homme voit un loup le premier, il a Dieu en son cœur et, en pensant à lui, il met en fuite les esprits aériens aussi bien que le loup.

Si on souffre de la goutte, on prendra, en poids égaux, des feuilles de cassis et de consoude ; on les pilera dans un mortier et on leur ajoutera de la graisse de loup, en quantité légèrement supérieure ; on en fera un onguent dont on se frictionnera les points douloureux ; puis, le deuxième ou le troisième jour, on se mettra dans un bain chaud et on évacuera la goutte par transpiration. Il ne faut pas enlever cet onguent de sa peau avant de s'être baigné, car il est si puissant que la goutte ne peut en aucune façon rester là où on en a mis.

Si quelqu'un, à cause de maladies qui s'en prennent à sa tête, entre en fureur, il faut lui raser le crâne, puis faire cuire un loup dans de l'eau, après avoir enlevé la peau et les viscères ; laver alors la tête du furieux avec l'eau de cuisson, en obstruant les yeux, les oreilles et la bouche avec des linges, pour que l'eau n'y entre pas : car si ce liquide entre dans son corps, sa folie augmente comme si c'était du poison ; répéter cela pendant trois jours – même si la folie est forte, il retrouvera ses esprits. S'il ne supporte pas qu'on obstrue ses yeux, son nez et sa bouche, il faut alors tremper un linge dans le bouillon et envelopper sa tête avec ce linge encore tiède, qu'on laissera une petite heure sur sa tête ; répéter pendant trois jours et l'homme reviendra à son bon sens. Quand il ira mieux, laver la tête avec du vin chaud pour en enlever la graisse. »

C'est sainte Hildegarde de Bingen qui écrit ces lignes dans son *Livre des subtilités et des créatures divines* entre 1105, année où elle est confiée aux Bénédictines (elle a huit ans), et le 17 septembre 1179, où elle meurt dans le monastère de Rupertsberg, qu'elle a fondé en Allemagne.

Hildegarde a des visions ; d'ailleurs, elle les note. Très tôt, elle a celle du jardin d'Éden : elle désire déchirer le voile que la Chute a tendu entre nos âmes et lui. L'Éden n'est pas situé au-delà, mais bien ici, mais bien maintenant, pour peu que chacun sache rétablir l'harmonie originelle entre la nature et l'homme. Pour peu que chacun le veuille surtout. La voilà réconciliant la chair et l'esprit, le corps et l'âme, pour créer autant de métamorphoses. Hidegarde est une femme géniale et inspirée qui parle du Griffon et de la Baleine, de l'esprit du tilleul et du vol du pinson.

Elle écrit ses recettes d'esprit et de médecine ; en même temps, elle chante et compose des oratorios, d'une voix merveilleuse dit-on, en ce XIIe siècle si rude, tout plein de l'effroi d'être vivant. Hildegarde de Bingen, avec sa musique, chante la fécondité du monde et celle de l'âme.

Elle compose une musique proprement angélique, elle chante, puise dans la nature les ingrédients de ses recettes ; elle enchante. Claude Mettra, dans la préface à ce *Livre des subtilités et des créatures divines*, note à juste titre combien Ingmar Bergman s'est inspiré de cet ouvrage pour réaliser son chef-d'œuvre, *L'Heure du loup*.

L'heure du loup ? « Un de ces moments privilégiés où, au-delà des soucis et des frontières de la vie ordinaire, un étrange frémissement traverse le cœur humain, comme l'appel d'un monde inconnu, dont nous serions à la fois les enfants et les exclus. Révélation douloureuse à vivre pour nos âmes fragiles et qui, la plupart du temps, ne fait que nourrir en nous les mirages de la mélancolie. Hildegarde est celle qui a voulu voir ce qui était au-delà du pressentiment, au cœur de la révélation. »

Pour toutes ces raisons, j'aime cette femme-proue penchée bien en avant des autres, sans peur, et qui domine et pénètre l'inconnu. Et cet étrange frémissement qui traversait son cœur, je le connaissais à mon tour. Il avait la force du vent.

La musique, la nature, les loups, tout est dit...

***

D'ailleurs, il soufflait de plus en plus souvent, ce vent du désordre et de la tempête. Ce vent du désert qui tournoie en farandoles brutales, sarabandes fantasques, ce vent auquel les nomades ne donnent pas de nom – comment nommeraient-ils celui qui n'obéit ni au sable ni aux brûlures du soleil ni même aux points cardinaux ? Ce vent avait soufflé mes réponses à Léon Fleisher, et inspiré le « non » obstiné et péremptoire que j'avais opposé à Daniel Barenboïm lorsqu'il m'avait conseillé de partir pour Baltimore suivre ses cours. Il avait attisé mon esprit de rébellion lorsqu'on me donnait des conseils ou des ordres que je jugeais irrecevables. J'avais passé cette fameuse audition, comme convenu, et le chef d'orchestre de l'Orchestre de Paris m'avait engagée après que j'eus joué pour lui la *Dante sonate* de Liszt. Mais, autant il m'apprenait, à sa façon, ouverte, chaleureuse, notamment le répertoire symphonique dont j'ignorais presque tout – il m'avait invitée à le suivre dans ses répétitions –, autant nous nous heurtions sur les méthodes et les programmes. J'étais rebelle à ses conseils. Ainsi, je ne comprenais pas qu'il me demande de rester travailler la veille de mon concert au Théâtre de la Ville alors qu'une star du piano, Martha Argerich, était à l'affiche ce même soir. L'écouter m'apprendrait assurément davantage que m'échiner trois heures de plus sur mon clavier. D'ailleurs, j'étais allée l'applaudir.

Daniel me jugeait têtue et difficile, et mon agent, Jacques Thelen, partageait ce point de vue. À lui aussi, je donnais du fil à retordre : je refusais de me rendre au rendez-vous qu'il avait organisé pour qu'un chef d'orchestre célèbre et étranger m'auditionne – sa façon de diriger me rebutait. Je refusais de jouer le *Deuxième Concerto* de Saint-Saëns : il ne me plaisait pas...

Les événements me souriaient ; en même temps, autour de moi, se dégageait une sorte d'onde négative, un élément qui contrariait mon rapport aux autres et au monde. J'avais vraiment l'impression que tout devenait de plus en plus difficile, comme dans les cauchemars lorsqu'on veut marcher et que les pieds restent rivés au sol, lorsque tout mouvement devient laborieux, épuisant. Mon physique lui-même me desservait. Mille fois, j'entendais, dans les questions posées, le redoutable : « Jolie comme vous l'êtes, pourquoi ne faites-vous pas autre chose ? » Paris m'aurait préférée en jeune mannequin, sur le tarmac d'un défilé de mode, ou en gentille étudiante, dévorant du pop-corn avec son petit ami au cinéma. Paris refusait de m'ouvrir les bras. Je serais incapable de dire, aujourd'hui, si je souffrais de décalage d'image. Il m'inquiétait, bien sûr. Le regard que l'on portait sur moi, en revanche, m'agaçait. « Trop belle pour être intelligente », par exemple. Ou : « Ravissante comme elle l'est, elle n'a pas besoin de travailler. » Ou : « Combien, dites-vous, d'heures de piano par jour ? » et je comprenais que mon interlocuteur convertissait ces heures en un gigantesque gâchis, du pur gaspillage eu égard à la frivolité d'une existence à laquelle mes cheveux blonds et mes yeux bleus donnaient droit.

En fait, ce n'est pas dans le travail forcené au

clavier – parfois en pure perte car tous ne sont pas élus – que réside la douleur de ce métier, mais bien dans la manière dont les autres vous perçoivent. Il y a ceux qui ne peuvent franchir l'écran sacré qu'ils ont dressé entre vous et la musique, et eux-mêmes – alors il y a quelque chose d'un peu terrifiant à se retrouver en icône. Il y a ceux qui attendent. De vous parler, de vous rencontrer, de vous toucher. Ceux-là, on les appelle les fans ; s'ils vous donnent beaucoup, ils exigent une réponse à la mesure de leur amour.

Je les reconnais dans la salle, je leur parle si je le peux. Chacun, à mes yeux, est unique. Mais ils veulent plus. Ils veulent tisser un lien personnel : une amitié. Or, c'est impensable. Il est impossible d'être en relation avec des dizaines de milliers de personnes. Comment leur faire comprendre que le maximum, je l'ai donné sur scène, pendant le concert ? Là, j'ai joué pour chacun d'entre eux, vraiment, jamais pour une masse que l'on nomme le public.

Je me souviendrai toujours de cet Anglais qui a débarqué chez moi, aux États-Unis, avec un sac à dos et sa petite amie.

— On veut vous voir...

Certes. J'étais émue : après tout, ils avaient traversé l'Atlantique pour réaliser ce souhait. Mais j'étais en rendez-vous d'affaires avec un responsable de ma maison de disques.

— Vous auriez dû vous annoncer. En tout cas, désolée, mais je ne peux pas vous recevoir.

Je n'ai pas pris de gants pour leur fermer ma porte au nez. Ils étaient furieux. Quelques jours plus tard, je recevais une lettre d'insultes... et quelques mois plus tard, une lettre d'excuses.

Je n'en étais pas là, dans les dernières années de cette décennie 1980. Je tâtonnais encore, même si, fort heureusement, grâce à mon agent, je commençais à donner des récitals à l'étranger. L'Allemagne, découverte avec bonheur. La Suisse, sous la direction d'Eliahu Inbal. Le New American Chamber Orchestra qui m'a engagée le temps d'une tournée au Japon. Tokyo et Osaka. Et puis Londres...

Je découvrais les premiers voyages, l'univers si particulier des aéroports – et dans un premier temps j'ai adoré prendre l'avion. J'apprenais les nuits, seule à l'hôtel après le concert, et la difficulté à m'endormir, la tête hantée par la musique, faisant et refaisant le film de mon interprétation, le moindre de mes neurones sur le qui-vive. Certains concerts étaient bons, d'autres franchement mauvais. J'étais irrégulière, sans expérience, sans vision définitive des œuvres.

Léon Fleisher avait eu raison de me conseiller la patience, et le silence, tant que je n'avais pas trouvé ma voie, mon son.

Heureusement, à cette époque, il y eut le festival de Lockenhaus et les rencontres déterminantes que j'ai pu y faire. Martha Argerich d'abord. Martha « la lionne ».

Martha, c'est la force qui écrase tout sur son passage, la souveraineté de l'élan vital. Elle ressent les événements de l'intérieur, avec entièreté. Une fille de l'air. Avec elle, les choses ne se passent pas dans les mots mais dans le silence qui les habite :

pas besoin de parler, ou si peu. L'essentiel se dit de toute façon par une manière d'être.

Elle jouait avec Gidon Kremer et tous les deux étaient au sommet de ce qu'ils pouvaient créer ensemble ; ils personnifiaient le miracle du partage. Il y a eu le lieu, la philosophie de ce lieu qui veut que les jeunes musiciens soient confrontés à des artistes confirmés et qu'ils jouent tous ensemble. Dès lors, la spontanéité et l'invention tiennent une grande place dans les trois ou quatre concerts programmés chaque jour.

— Que souhaitez-vous interpréter aujourd'hui ? demandait un organisateur, chaque matin, en passant parmi nous.

Les groupes se formaient. On décidait d'une pièce. On répétait un peu. Bien sûr, quartets et quintettes se préparaient pendant deux ou trois jours à l'avance.

— Une préparation intellectuelle est nécessaire et indispensable avant de travailler une œuvre. Il faut tout décortiquer puis tout reconstruire, tout souder.

Gidon Kremer nous expliquait comment aborder une œuvre, comment trouver, justement, son propre son en disséquant toutes les opportunités, en confrontant toutes les façons. « Pourquoi pas comme cela ? » était la question préliminaire, primordiale à se poser.

À partir de ce festival, je n'ai jamais cessé de suivre les conseils de Gidon. J'ai appliqué à la lettre ses recommandations au risque d'une paralysie instrumentale. Je me posais tant de questions que je ne parvenais plus à me détacher des partitions, ni à prendre la hauteur nécessaire pour passer à l'acte des mains sur le clavier. Certains jours, j'avais le sentiment de comprendre, j'avais la brève apparition de ce qui pouvait être et serait, je savais que c'était ça, exactement, mais entre ces brèves lueurs, ces rares illuminations, je vivais à l'aveuglette. Je me débattais dans le vide pour résoudre les difficultés, parfois des semaines sans trouver de solution. Ainsi, la vitesse me posait un problème particulier. Je ne pouvais pas m'empêcher de jouer à toute allure. J'avais alors l'impression que les touches du piano s'enfonçaient trop vite, comme si le piano possédait sa propre vie et ensorcelait mes mains, les entraînait dans une course folle, crescendo. C'était affreusement désagréable et certaines fois, il fallait que je cesse totalement de travailler pour casser cette contrainte.

Je me trompais et je n'appelais pas ces erreurs autrement que par leur nom : échec. Mes échecs m'ont permis avancer. Dans ce métier, tout est un jeu de l'esprit : si l'on ne se fait pas suffisamment confiance, son potentiel ne peut se réaliser ; mais si on n'échoue jamais, on ne progresse pas.

Souvent, je pensais être sauvée et, de nouveau, le doute me taraudait. J'avançais comme un alpiniste sur un pont de neige, entre deux glaciers, dont chaque pas, hésitant, teste la sûreté de la neige, évalue les risques d'avalanche, élimine les chemins hasardeux menant à l'impasse, voire à la mort. J'avançais à tâtons. Et parfois, je vacillais...

J'ai corrigé ma tendance à me jeter entièrement

dans une interprétation, puis, l'instant d'après, sans avoir fait le lien nécessaire, à vouloir tout détruire de ce que j'avais entrepris. En même temps, j'ai appris qu'il ne fallait pas chercher la perfection à tout prix. Elle n'existe pas : c'est le meilleur moyen pour perdre ses repères, son point de vue, justement, si crucial. J'ai réfléchi à cette perfection et j'ai compris que c'était de donner tout ce que j'ai, à ma façon, sans se contrefaire pour plaire à ce que l'on croit qui va plaire à X, Y, ou au public. Cette découverte a renforcé mon amour pour le répertoire romantique ; il porte beaucoup d'excès en lui-même, tant de subjectivité rajoutée qu'il ne faut pas chercher à sur-interpréter la sensibilité des compositeurs. L'unique façon d'être poignante est d'être directe.

Gidon m'avait appris le travail intellectuel sur la partition et Martha, la force vitale de l'intuition. Ce qu'elle m'a transmis ? Non pas telle ou telle technique au piano, mais plutôt, et de manière plus tranchante, la confirmation qu'il me fallait devenir celle que je suis, comme elle l'est devenue elle-même. Elle m'a appris que je devais me frotter à l'inévitable ; cet inévitable en soi qui, finalement, est seul à pouvoir nous sauver.

***

« Quand on demande à un enfant ce qu'il veut faire lorsqu'il sera adulte, il ne répond jamais critique, ce qui prouve que c'est un métier de raté. »

Impossible de ne pas rire avec François Truffaut, lui-même critique à ses débuts, de cette réplique qu'il place dans la bouche de l'un de ses personnages.

Un exemple ? De qui a-t-on écrit ces lignes ? « Jamais nous n'avions atteint tant de complaisance dans l'horrible. Lucidité ? Non, sadisme. L'auteur se vautre dans la puanteur. Le cœur se serre. La chair se hérisse. Et surtout l'on pèle de gêne. De gêne d'être là. Oui, je baissais la tête, je n'osais plus regarder le plateau. J'avais le sentiment de participer à une vision indécente. » Cet auteur qui « se vautre dans la puanteur », selon le jugement avisé d'un oracle aujourd'hui complètement oublié, n'est autre que Samuel Beckett, et la pièce, peut-être sa plus belle, *Oh les beaux jours.* Belle profession que celle de critique qui consiste trop souvent à trouver le pire dans le meilleur et le meilleur dans le pire, faute d'un goût personnel ou désintéressé.

Toute plaisanterie mise à part, personne ne peut nier à quelle hauteur du discernement fondamental la critique peut se placer lorsqu'elle est le fait de musiciens comme Debussy ou Boulez, d'écrivains comme Borges ou Blanchot, ou, simplement, d'êtres toujours susceptibles de s'émouvoir. Dans ce cas, la critique est un art parallèle à l'autre : l'hommage d'artistes à leurs pairs, attachés à transposer une émotion en vertu d'un autre ordre, celui de la raison et de l'esprit. Baudelaire écrivait au sujet de Wagner : « Tous les grands poètes deviennent naturellement, fatalement, critiques. »

L'inverse, hélas, se produit rarement. Je le regrette : il manque alors à ces individus l'expérience vitale du trac, du face-à-face avec une salle où chacun est différent de son voisin, où chaque auditeur (et parmi eux le critique lui-même) attend de vous une émotion disctincte, une réponse particulière à son point de vue sur l'œuvre. Il leur manque ce face-à-face avec soi-même, devant un clavier dont les touches ressemblent brusquement à des crocs luisants et redoutables. Un face-à-face avec le doute malgré les heures de recherche et de répétition.

L'un d'eux, autrefois réputé, m'a traitée au tout début, dans un journal français conservateur, de petite chèvre sans souffle, tout juste bonne à faire des bonds sur scène ; quelques années plus tard, il écrivait que, contrairement à ses attentes, je n'avais décidément pas changé : j'étais restée cette interprète qui méritait le fouet, une Walkyrie tonitruante !

Aujourd'hui, je sais sourire de ces diktats. Le public n'a pas besoin qu'on lui ordonne ce qu'il convient d'aimer ou non, il est adulte, passionné et exigeant. Et c'est pour lui que je joue. Mais dans les premiers temps, à Paris, lors des premiers concerts, quel massacre ! Il faut alors avoir reçu les encouragements de maîtres comme Pierre Barbizet, Jorge Bolet, Daniel Barenboïm ou Léon Fleisher pour ne pas s'affecter de propos si contradictoires.

À mes débuts, ces questions, je le reconnais, m'ont tourmentée, jusqu'au jour où je les ai mises à plat et découvert qu'au fond, il y avait davantage de bonnes critiques que de mauvaises. C'est la violence outrée des mauvaises et leur volonté de mise à mort qui me frappaient le cœur. Je les ai considérées comme nulles, absolument stériles, à mesure que j'ai réussi à tenir le pas gagné, non sur les autres, mais sur mes incertitudes. Le premier critique est l'artiste lui-même : il ne vise pas une perfection illusoire, qui serait lettre morte, personne ne pouvant répondre en lieu et place des compositeurs, ni de leurs désirs. Ce que vise tout artiste véritable, c'est à animer de sa vie la vie de l'œuvre jouée, à lui donner tout son être, dans cet abandon parfait propre à l'amour.

Les grands peintres n'ont jamais cherché à reproduire la réalité des visages trait pour trait ; ils partaient d'un modèle pour en dégager l'existence la plus profonde. Et puis, que *reproduire* en musique ? Il n'existe pas, inscrit comme les plans d'un temple parfait, comme un individu vivant, un modèle idéal d'interprétation. Il y a et il ne peut y avoir qu'une rencontre avec l'existence d'une musique qui se joue. « Quelque part dans l'inachevé ».

***

Après le festival de Lockenhaus, je suis tombée malade. Une mononucléose infectieuse m'a ramenée chez moi, à Aix. Mon corps était très faible et bizarrement, ma pensée beaucoup plus agile, habile.

Je me suis abandonnée aux soins de mes

parents, à la tendre vigilance de mon père, à la gaieté de ma mère. Puis je suis rentrée à Paris où Daniel Barenboïm ne m'attendait plus : le message que j'avais laissé pour lui annoncer ma maladie et le temps de ma convalescence ne lui est jamais parvenu. Il me jugeait fantasque, imprévisible. Aussi, ma disparition de la scène, sans nouvelles, ne l'a pas surpris outre mesure.

Le destin, souvent, se nourrit d'incidents de la sorte, de ces petites boiteries de temps, malentendus et quiproquos. Celui-là me précipitait toute crue dans la solitude chérie et revendiquée. Barenboïm ne m'attendait plus ? C'est à ce moment que j'ai décidé de mon retrait. Je ne voulais plus être vue...

Je me suis installée chez Gidon Kremer, avec qui j'avais engagé de précieux échanges d'amitié. Il m'avait prêté son appartement, le temps de ses tournées internationales qui le retenaient loin de Paris. Parfois, je filais en Suisse, chez Martha Argerich qui entretenait autour d'elle, avec une folle générosité, un aréopage de jeunes musiciens. Je ne travaillais plus, sauf sur partition. Je passais mon temps à lire et à lire sans fin, des livres, des notes beaucoup. Concentrée sur ma force d'inertie, je refusais de sortir de l'appartement. De la fenêtre, comme un oiseau, je contemplais avec un souverain détachement l'agitation de Montparnasse, à mes pieds. C'était fini, les errances délicieuses, mon abandon au flot des corps dans le torrent des rues, la dévoration des visages qui me fascinaient, lors de mon arrivée à Paris. Je marinais, je ruminais, je me désespérais, encombrée d'un fatras de personnages de roman, de connaissances éparses. Je ne voulais voir personne. Je ne savais même plus comment s'écrivait le mot « joie ».

Petite, j'avais voulu vieillir parce que je m'imaginais l'âge comme un obstacle aux envols et l'enfance comme un purgatoire. Mais contrairement à ce que j'avais pensé, maintenant que je vivais à ma guise, rien n'était mieux, ni meilleur que ce que je croyais. J'étais libre, parfaitement libre et pourtant, j'étais dans le pire – à peine pouvais-je surnager. Jamais je n'ai éprouvé une sensation aussi violente d'être coupée du monde, de la beauté, de la jouissance. J'avais l'impression, vive comme une truite, d'être dissociée d'un tout.

Pendant ces interminables journées, je me rappelle avoir trouvé, dans un recueil d'aphorismes, cette phrase de Léon Bloy : « Lorsqu'une grande personnalité apparaît, demandez d'abord où est sa douleur. » Je pouvais définir la mienne, à ce point de mon existence. J'étais taraudée par un sentiment d'impuissance, pire encore, d'inutilité. Ma douleur était une action et la contemplation de cette douleur un abîme. Un grand trou noir se creusait dans ma poitrine. Il ne communiquait plus avec les espaces infinis, ni avec le cosmos, ni avec l'architecture vertigineuse de la musique mais, comme un trou dans la coque du bateau, avec les eaux glauques des grands fonds, d'où il engouffrait les ténèbres.

Je vivais une expérience de l'ordre de la dépossession de soi. L'abandon de soi par soi après le délaissement de tous. En 1989, lors du festival de La Roque-d'Anthéron où j'étais programmée pour la troisième fois, j'étais dans un marasme total. J'ai cru, j'ai vraiment cru alors que je ne m'en sortirais jamais. J'étais désabusée du monde, des gens que je rencontrais. Alors, devant cette allée de platanes qui m'avait enchantée, bruissante du mistral et du parfum d'été, malgré le souvenir des mains de ma mère tressant mes cheveux et de ses rires, malgré la mémoire de ce quelque chose que j'attendais encore et qui, dans un soupir, sans que je le saisisse, avait déjà disparu, malgré ma jeunesse et sa force, j'ai eu l'envie sauvage, brutale, irrépressible, pour la première et la dernière fois de ma vie, de disparaître.

— On ne peut être essentiel que dans le malheur. Il incite à rester sincère, m'a dit, ce jour-là, un ami au téléphone.

***

Chez les loups, la période des amours commence à la fin de l'hiver, dès février jusqu'au début du mois de mars. C'est souvent la femelle chef, la plus hardie, qui appelle le mâle. Elle préfère celui qui est le mieux placé dans la hiérarchie de la meute. Pour autant, les autres jeunes loups peuvent prétendre faire sa conquête. Des combats déterminent le gagnant.

Une fois le couple formé, la femelle restera fidèle à son compagnon toute sa vie, et réciproquement. Pendant sa gestation, la femelle prépare une tanière douillette, qu'elle tapisse d'herbes sèches et de capitons de poils pour recevoir la portée que le mâle aide à mettre au monde, soixante-trois jours en général après l'accouplement. Jamais, comme chez les félins, la louve n'aura à craindre que le mâle ne dévore ses petits.

Les portées varient de un à huit petits loups en moyenne, parfois onze à douze louveteaux, aveugles, inertes. Le taux de mortalité est toutefois élevé : jusqu'à 50, voire 60 %.

Le lait de la louve est riche et assure à tous les louveteaux une bonne chance d'atteindre huit semaines, âge auquel ils sont sevrés et nourris de viande régurgitée par leurs deux parents. Tant que les petits sont inaptes à toute sortie au grand air, les membres de la meute assurent leur surveillance pendant que les parents chassent. La mère louve est sans doute l'éducatrice la plus attentive du monde animal. Cet instinct maternel a une source : l'hormone prolactine qui abonde dans l'organisme des loups. Lorsqu'ils ont trois mois, elle rapporte à la tanière des proies vivantes pour aguerrir les louveteaux. Lorsque le couple Alpha, dominant, rentre de la chasse, les petits se ruent sur eux, mordillent et lèchent les babines parentales, ce qui stimule leur réflexe de régurgitation. Ces attitudes, qui perdurent dans l'âge adulte, manifestent soumission et même affection. Parfois, elles ponctuent un rituel de remerciements et traduisent la reconnaissance qu'un individu veut démontrer à un autre individu.

La fécondité et l'instinct maternel de la louve sont aux racines de la légende, et sans doute de celle qui fut la plus célèbre de l'Antiquité : le terrible roi Amulius avait jeté deux enfants dans les marais pour qu'ils y meurent, dévorés par les serpents et la vermine. Ces jumeaux, Remus et Romulus, furent découverts par une louve qui les ramena dans sa tanière et les allaita, les sauvant ainsi d'une mort certaine. Devenu adulte, Romulus fonda la ville de Rome, et la louve devint ainsi l'emblème de la cité à qui elle garantit l'immortalité d'un empire.

Les historiens ont disséqué à l'infini les origines de ce mythe, affirmant, entre autres, par exemple, que si les bordels de Rome s'appelaient « lupanars », le lieu des « louves », c'était parce que les prostituées se disaient « louves » en latin. De là, un seul pas à franchir : Remus et Romulus auraient en fait été sauvés et allaités par une péripatéticienne au grand cœur, et à l'abondante poitrine.

Pour autant, les Romains ne plaisantaient pas avec leur mythe fondateur. Chaque signe, chaque incident où un loup entrait en scène était scrupuleusement relaté et confié, pour son interprétation, aux augures. Ainsi, vers la fin de l'automne 401, la nouvelle d'une invasion barbare répandit dans toute l'Italie une vague de terreur. L'apparition dans le ciel d'une comète et plusieurs éclipses de lune confortaient cette attente effroyable.

« Mais, écrit le poète Claudien dans son *De Bello Getico,* ce qui terrifia surtout les esprits fut le présage tiré de deux loups tués. Sous les yeux mêmes du prince, alors qu'il exerçait ses chevaux dans la plaine, deux loups attaquèrent avec fureur son cortège. Criblés de traits, ils montrèrent aux yeux un prodige inouï, avertissement merveilleux de l'avenir. De leurs flancs entrouverts sortirent deux mains humaines ; la main gauche s'agitait dans le ventre d'un des monstres, la droite dans celui de l'autre ; ces deux mains, les doigts étendus, étaient encore sanglantes. À qui voulait connaître la vérité, il apparaissait que la bête fauve, messagère de Mars, annonçait que l'ennemi serait tué sous les yeux du prince. Ainsi que des corps éventrés s'échappaient deux mains encore vivantes, la valeur romaine devait se faire jour après le passage des Alpes. Mais la peur, mauvaise interprète des choses, tirait de là des augures funestes : ces membres mutilés, cette louve nourrice de Rome, autant de menaces à l'adresse de Rome et de l'Empire ! »

Ce texte, Claudien le donna en lecture en 402, dans le temple d'Apollon, le dieu loup. Et personne ne parut s'étonner de cette histoire, ni des mains fatales et sanglantes désignant le destin. On baptisa ces loups les « loups de Milan », lieu où l'empereur Honorius à qui ils étaient apparus exerçait ses armées. Longtemps, on a épilogué sur cet épisode historique, le reléguant au chapitre des mythes et légendes. Un loup farci de bras intacts et désignant au prince, comme les navigateurs au sol aux pilotes des avions, les manœuvres à entreprendre pour mener l'équipage à bon port ? Toujours est-il que, quelques années plus tard, Alaric et ses Goths entrèrent en Italie, appuyés par Radagaise, et qu'ils y furent battus.

Il est une autre légende dont on douta beaucoup : celle du loup de Gubbio, apprivoisé d'une imposition de main et d'un signe de croix par François d'Assise. « Frère loup, au nom du Christ... » Et frère loup se soumit. En gage de reconnaissance et d'amitié cordiale, les habitants de Gubbio, éblouis par le miracle, promirent au loup de le nourrir et de le choyer. Ainsi, pacifique, caressé par les enfants, gâté par les femmes, le loup de Gubbio veilla désormais sur la ville. Pure légende ? Les historiens affirment que ce loup ne serait que le nom dont les citadins auraient affublé un terrible bandit qui terrorisait et pillait les habitants de cette ville. À moins qu'il n'ait été le seigneur du lieu, impitoyable avec ses ouailles. On admit ces explications jusqu'à ce que, en 1873, la restauration d'une chapelle consacrée à saint François, contemporaine à lui, ne révèle, sous une dalle, le crâne et les restes d'un loup de taille phénoménale...

*
* *

Que m'ont particulièrement appris ces deux années d'indépendance ? Certaines choses sur la nature de la musique, qui était aussi la mienne. J'étais un être libre, sans inhibition ; je n'étais pas née pour les nids, les attroupements. Je voulais avant tout avancer suivant mon instinct et mes désirs, continuer à tracer ma route sans craindre qu'elle se perde un jour dans les sables mouvants. Elles m'ont enseigné que la solitude reste le lieu essentiel où je peux être moi-même, avec moi-même ; là, la réalité prend forme sous le signe du désir ; il n'y a que ce qu'on désire de soi à soi qui tend à être réel.

J'ai appris que je me tiens plus proche du cri

que du mutisme : je proteste souvent ; je protesterai toujours. Mon rapport au silence est d'ailleurs plus un fantasme qu'une réalité. Pourtant, il m'arrive de rester longtemps sans parler ; alors la parole m'apparaît superflue. Parfois, je pratique des ascèses de silence, longtemps, jusqu'à ce que j'entende dans le silence la musique même du silence : un rien, mais un rien qui parle, qui s'écoute. La musique est un prolongement du silence, elle est aussi ce qui la précède, ce qui retentit au cœur du morceau. Elle est un accès à un ailleurs de la parole, que la parole ne peut pas dire et que le silence dit pourtant, en le taisant. Une musique sans silence ? J'appelle cela du bruit. En revanche, désolée de l'avouer : je n'ai pas la sagesse du silence, même si j'en connais la valeur.

***

« Tout plaisir exige l'éternité, exige une éternité profonde, très profonde », écrit Nietzsche.

Pourquoi cette phrase a-t-elle toujours évoqué pour moi l'histoire de Fanny Hensel, née Mendelssohn ? Et celle de cette jeune femme du début du siècle (j'évoque les années 1900), prise d'une folie d'écriture, une exigence qui la réveillait la nuit, l'obligeait à quitter le lit conjugal, la plongeait dans une joie fébrile qui la volait aux autres, sa famille, enfants et amis, son époux surtout. Cette jeune femme américaine dont j'ai perdu le nom finit par accepter et même réclamer, puisqu'elle fut persuadée à son tour de sa folie, de son immense folie par son mari, qu'on l'interne en hôpital psychiatrique ; et d'autres soins bien plus rudes encore, parce que son désir et son plaisir qu'elle satisfaisait en noircissant des pages de romans et de poèmes, ne s'évanouissaient pas. Un jour, quelque chose d'elle l'a quittée. Le remède était trop fort, les électrochocs trop fréquents. Quoique momentanément désemparé, son mari ne fit aucun procès aux médecins ni ne réclama d'explication. Il avait obtenu ce qu'il voulait, et avec lui sa famille : sa femme, le regard flou, restait couchée sur une méridienne le jour durant, absorbée par de jolis ouvrages de dentelle. Son sourire permanent et vague effleurait ses meubles, ses domestiques, ses enfants, sans qu'on sache jamais ce qui la faisait flotter ainsi, quelle vision, quelle éternité brièvement entrevue. Mais parfois, sans que le sourire cesse d'étirer ses jolies lèvres, alors que des éditeurs et des critiques s'inclinaient en lisant enfin les pages et les pages qu'elle avait reliées elle-même, les pages couvertes de son écriture fine, sa main s'amollissait. La veine bleue qui battait à son poignet accélérait son rythme. L'aiguille, le tabourin de dentelle et les fils de soie multicolores glissaient au sol ; alors ses doigts, imperceptiblement, esquissaient dans l'air l'ébauche d'un mouvement qui semblait le geste d'écrire, une phrase peut-être, un mot, un monde sûrement mais désormais avorté.

Cette histoire qu'on pourrait appeler « Une femme et la création » s'était déjà produite bien des fois, sous divers avatars. Ainsi Fanny Zippora Mendelssohn, fille aînée de quatre enfants dont

Felix, son cadet de quatre ans. Fanny reçut une solide éducation et manifesta, très tôt, des dons musicaux prodigieux. À treize ans, elle interprétait d'une façon éblouissante le *Clavier bien tempéré* de Jean-Sébastien Bach ; Goethe, admiratif, affirma qu'elle « jouait comme un homme ». La métaphore était très laudative, bien sûr.

Puis Fanny commença à créer : l'interprétation ne lui suffisait plus. Donc, elle courait aux concerts, elle jouait, elle composait. Elle n'aimait que la musique. Elle annonça aux siens que telle serait sa vie, puisque telle était sa voie, son vœu.

— La musique sera peut-être la profession de Felix tandis que pour toi, elle ne peut et ne doit être qu'un ornement, jamais la raison de ton être et de ton activité.

Son père, Abraham Mendelssohn, avec son veto, lui fit savoir son opinion et, partant, celle de son siècle, d'une société, d'un monde. Fanny a quinze ans ; elle est malheureuse mais soumise. Elle est une femme, son père a de l'argent, elle sera donc bourgeoise : c'est-à-dire économe, épouse et mère. Seule concession à son tempérament libre, elle épousera Wilhelm Hensel, un artiste certes, mais reconnu : il est peintre officiel à la cour du roi de Prusse.

Pour autant, Fanny continue de composer, « pour ses tiroirs », tout en veillant à la destinée de son unique enfant, un fils comme il se doit.

— Il existe vraiment une musique qui est comme si l'on avait extrait la quintessence même de la musique, comme si c'était l'âme même de la musique : et telles sont tes mélodies. Oh Jésus ! Je ne connais rien de mieux.

Felix, son frère, a entendu ces œuvres rédigées dans le secret. Il en publie un recueil, certes sous son propre nom. L'ouvrage rencontre un vif succès. Fanny voit là un encouragement. Lors de ses concerts dominicaux, elle ose jouer son propre répertoire. Clara et Robert Schumann, Franz Liszt, Niccolo Paganini ou Bettina von Arnim applaudissent très fort. Fanny pousse l'audace plus loin encore : elle propose, en 1834, son *Ave Maria* à un éditeur anglais qui l'accepte. Vinrent, dans l'ivresse (« Je ne veux pas nier la joie que m'a procurée la publication de ma musique et combien elle contribue à accroître ma belle humeur. C'est un sentiment très piquant que de connaître seulement ce genre de succès à un âge où il cesse normalement pour les femmes, si tant est qu'elles l'ont jamais connu »), vinrent dans l'ivresse, donc, des cantates, des lieder, des chants.

Son père meurt. Son frère hérite de la ferme et paternelle opposition à toute célébrité musicale pour Fanny. Un temps dépressive, elle s'incline. Elle reprend le maquis de la création pendant onze années. Mais, un matin :

— Bien que je sache qu'en vérité cela était contraire au sentiment de Felix, je me suis maintenant décidée à publier mes choses. Les éditeurs Bote et Bock m'ont fait des offres telles qu'un amateur n'en reçut peut-être jamais et Schlesinger, là-dessus, des offres encore plus éblouissantes. Je n'imagine pas le moins du monde que ceci puisse continuer, mais je me réjouis pour le moment que mes meilleurs morceaux soient publiés puisque j'en ai pris maintenant la décision.

Fatigue, tristesse, dépression de nouveau, d'avoir attristé le célèbre Felix Mendelssohn, son frère, qu'on acclame à Berlin ?

— Je traverse maintenant une période fâcheuse, plus rien de musical ne me réussit et je n'ai plus écrit une seule mesure depuis mon trio.

Le 14 mai 1847 – elle a quarante-deux ans – Fanny meurt brusquement, en un souffle, pendant l'avant-première de la dernière œuvre publiée par son frère, le *Walpurgisnacht*.

***

Un jour, le téléphone a sonné.

Il s'était tu depuis si longtemps, dans l'appartement de Montparnasse, que la sonnerie elle-même semblait rouillée. Elle m'arrachait à ma stupeur, ma torpeur et à la lecture du livre que je poursuivais, mes pensées tractées ligne après ligne par une intrigue dont j'avais déjà oublié le prélude. Il pleuvait sur Paris. La tour dégoulinait. J'hésitai à répondre. Ma mère ? Gidon ? Martha ? « Si à dix sonneries, l'inconnu n'a pas raccroché, alors... »

À douze, je soulevai le combiné.

Ce n'était aucun de ceux-là, mais Jacques Thelen, l'agent patient et fidèle. D'une voix un peu lasse :

— Hélène ? J'allais raccrocher.

Et puis, droit au but :

— J'ai un voyage pour te changer les idées. Une tournée aux États-Unis. Figure-toi : l'agent de Columbia Artists, Greg Gleasner, a entendu un de tes disques. Il voudrait te représenter là-bas.

Les États-Unis ! Un, deux, trois, partons, partons vite. Mettons entre moi d'aujourd'hui et moi de demain un océan au moins. J'étais fébrile.

— Tu donneras un premier concert à Cleveland.

J'ignorais où se situait Cleveland, ni dans quel État, ni sur quelle côte. Je serais allée à Little Rock ou Mininum City si je l'avais pu, et d'ailleurs ce n'est pas l'avion qui s'est envolé pour Cleveland, mais moi. Il ne s'y passa rien de notable, sauf ma décision claire et déterminée de revenir sur ce continent. Cleveland ! Ce nom sonnait comme les clairons d'une brigade légère lancée à ma rescousse. Adieu Paris, adieu lenteur et doutes !

Les yeux droits dans ceux de Greg Gleasner, j'ai dit :

— Trouvez-moi d'autres engagements.

— *You don't speak english...*

Non, mais je parlais musique couramment, mon beau langage, mon verbe universel. J'assurais que cette lacune n'était que momentanée. Je promis un bilinguisme pour mon prochain voyage. Il me dit qu'il allait voir et réfléchir. L'accueil avait été favorable à Cleveland, alors pourquoi pas ?

Je décidai de ne m'inscrire à aucun cours officiel et d'appliquer une méthode toute personnelle pour mon apprentissage de l'anglais. Écouter et entendre...

Dans cet espace-temps que m'offrait cette nouvelle attente, mon corps était bien présent à Paris mais mon esprit vagabondait, déjà loin. Dans les images dispensées par la télévision, le magnétoscope, les écrans de cinéma. Du matin au soir, je me transportais d'un film à l'autre et toujours en VO. J'avalais des expressions toutes faites que j'apprenais par cœur. Je naviguais d'une histoire d'amour à une guerre du Vietnam, d'un péplum à un western, pourvu qu'ils fussent en anglais. Je louais des dizaines de cassettes au vidéo-club de ma rue, en même temps que je dévorais un demi-sandwich au jambon tiède.

Je supposais mon anglais nécessaire pour défendre mon image. L'image, c'était ce que devait vendre en priorité, comme le sucre sur l'amande de la dragée, Greg Gleasner aux tourneurs de musique classique américains. Elle devait être souriante, convaincante. Et moi, je devais être convaincue dans mes propos, assurée dans ma prononciation dès que je répondrais à leur « Pourquoi Brahms ? » ou à leur « Et Schumann ? »

Six mois plus tard, Greg Gleasner me rappelait. En anglais du premier au dernier mot. Nous nous entendîmes sur une tournée de plusieurs mois. Inauguration des concerts à Washington, fin du voyage en Floride...

Fin du voyage en Floride et retour à Paris ?

Il n'en était pas question, ça ne devait pas être.

D'ailleurs, cela ne fut pas.

8

Je serais incapable de dire à quel moment, quel jour, quelle heure de cette tournée américaine j'ai su que je ne reviendrais pas. L'idée s'est imposée à moi subrepticement, peut-être parce que de ville en ville, de salle de concert en interview, je me suis sentie dans la peau d'une musicienne, une pianiste professionnelle respectée. J'ai eu le sentiment d'être admise, loin des rumeurs et des questions, protégée d'une réputation qui s'était établie à mon insu depuis ma désertion du Conservatoire.

Ici, aux États-Unis, je n'étais plus en porte-à-faux. Je n'étais plus bizarre pour personne. La question était de savoir si je jouais bien ou pas. Si j'étais bonne et musicalement séduisante. Le reste, tout le monde s'en moquait. Parce qu'ils n'ont pas de traditions (même s'ils ont un mode de vie particulier), les Américains sont dénués de snobisme. Et paradoxalement, s'ils sont capables de s'émerveiller de tout, ils ne s'étonnent jamais de rien.

Ici, j'ai eu l'impression d'une formidable énergie, d'un mouvement puissant, d'une progression. J'ai deviné tout de suite que quiconque souhaite accomplir quelque chose a une chance d'y parvenir. Et puis, d'emblée, j'ai été séduite par la gentillesse toute particulière de l'accueil ; j'ai toujours eu beaucoup de mal avec les gens mais dans ce pays, l'abord est facile, d'une extrême simplicité ; jamais personne ne s'impose.

La tournée concoctée par Greg Gleasner se terminait en Floride, et là j'ai rencontré Jeff. Il m'a invitée à revenir. C'est au moment exact où il formulait cette invitation que mon désir de rester s'est révélé, comme la première et immense bouffée d'air dont on emplit ses poumons après une interminable apnée.

Le temps de mettre la clef sous la porte à Paris, de jeter mes deux blue-jeans et ma trousse de toilette dans une valise, quelques livres en guise de viatique et j'étais citoyenne de Tallahassee, capitale administrative de la Floride et ville affreusement ennuyeuse, plantée loin à l'intérieur des terres, dans une campagne plate et extrêmement boisée.

Évidemment, la Floride évoque toujours des bords de mer paradisiaques et des soleils éternels ; des lagunes peuplées d'un grouillement d'écailles – alligators dentus et poissons indolents –, et de froufrous d'ailes roses. Tallahassee n'appartient à aucune de ces imageries. Elle est très loin de l'océan, loin de toute eau et de sa magie, nul clapotis ni puissant ressac, aucune musique qui sente le sel ou les noisetiers de la rivière. La ville souffrait d'un électro-encéphalogramme rigoureusement plat malgré l'excellence de son université et, au sein de cet établissement, d'un département musique très complet.

Autant être franche : je n'aimais pas la Floride et, bien plus tard, il m'est arrivé de me demander si je n'avais pas provoqué cette relation pour m'installer aux États-Unis. Mais j'avais pris le train du destin en marche, bien résolue à n'en pas descendre. J'avais choisi d'être à Tallahassee, au bord du monde, consciente absolument d'avoir amorcé le dernier virage avant la ligne droite ; je me savais au seuil de quelque chose d'inexorable. J'avais, dans mon sac à dos, d'inépuisables réserves de patience. J'étais en paix.

Jeff voyageait beaucoup ; je partais souvent pour l'Europe où je donnais une grande partie de mes concerts – en Allemagne essentiellement, et mon affection pour ce pays et son public si mélomane ne cessait de croître. Je continuais de travailler mes partitions, d'exercer mes trouvailles au piano. Je lisais, et je partais me promener souvent, accompagnée de la seule chienne de Jeff, Harvey, un berger allemand croisé de husky. J'étais heureuse de sa présence et de ses gambades autour de moi – comme si, soudain, Ripp, le chien de mon arrière-grand-père, et Rock, le pointer de mes voisins, étaient enfin à moi, à moi toute seule.

Lors de ces balades, souvent, je me laissais surprendre par l'exotisme des lieux : l'énormité fantastique d'un pécanier enguirlandé de lianes me rappelait combien j'étais loin de Paris, ou bien c'était le cri inconnu d'un oiseau et même, un jour, à l'orée de la ville, lente, préhistorique et solennelle, une tortue. Mon rêve récurrent m'est revenu en mémoire et j'ai frissonné.

Au bout de la troisième ou quatrième promenade, ma présence dans le quartier a été remarquée. Mes voisins m'ont fait la surprise d'une petite visite et d'une fête de bienvenue.

En quelques minutes, une table était dressée dans le jardin, des glacières livraient des packs de bière fraîche et de Dr Pepper. Il y avait des gâteaux faits maison, du pop-corn, et tout le nécessaire pour préparer des sandwiches. Très vite, une pile de pain de mie tartiné de thon, de mayonnaise, de salade et de poulet froid grimpait à l'assaut du ciel. La conversation roulait comme un bourdonnement d'abeilles, puissant et continu. J'étais un peu fatiguée. Il faisait chaud. De temps en temps, dans la rue large et tranquille, une grosse Chrysler rebondissait sur des ralentisseurs qui assuraient aux enfants du quartier toute sécurité pour traverser la rue en courant derrière leur ballon.

— Vous allez souvent vous promener vers le nord du district, n'est-ce pas ?

Un individu d'une quarantaine d'années, un gobelet de bière *king size* à la main, me souriait. J'acquiesçais. Dans cette zone, les maisons se raréfiaient et le sous-bois très étendu permettait à Harvey de courir à sa guise et de chasser à loisir.

— Écoutez...

Le cercle des invités s'était resserré autour de moi, belles dents, beaux cheveux, grands sourires. (*Hi ! Where are you from ?*) En un éclair, j'ai compris qu'ils avaient discuté, entre eux, de ce qu'ils allaient me dire.

— Faites attention à vous. Il y a un homme là-bas... un vétéran du Vietnam. Il n'a pas toute sa tête... Dérangé sans aucun doute mais nous le tenons pour dangereux.

D'un seul coup, chacun a relancé la conversation sur ce thème. L'individu, patibulaire, avait des armes... un arsenal. Oui, aux États-Unis, c'était parfaitement possible. Un misanthrope qui ne sortait que la nuit. Il avait des animaux étranges chez lui, des serpents à coup sûr, ou des araignées venimeuses, de terribles nuisibles sans aucun doute... Alors, je ferais bien attention ? J'ai promis, intriguée.

Pendant quelques jours, l'histoire de l'inconnu m'a trotté dans l'esprit. Jeff le connaissait-il ? Non, il en avait seulement entendu parler, comme tout le monde.

— Inutile d'aller rôder là-bas ni de courir un risque, ajouta-t-il dans la foulée.

Bien évidemment, le nord du quartier est devenu le but de toutes mes promenades. Je n'avais pas peur ; j'étais simplement curieuse ; de toute façon, j'ai toujours aimé les situations capables de me rappeler combien vivre est délicieusement dangereux. Et puis j'avais Harvey à mes côtés, n'est-ce pas ? Elle dissuadait plus d'un importun, mon affectueuse garde rapprochée !

Enfin, le temps d'une tournée de concerts, le temps d'un retour à la maison et le mystère de l'« inconnu aux cobras », ainsi que je l'avais baptisé, m'est sorti de la tête.

⁂

Redouté, le loup était aussi vénéré pour ses qualités médicinales. Comme certaines peuplades dévoraient le foie de leurs ennemis vaincus pour s'approprier son courage, nos aïeux préparaient de nombreux remèdes dont le loup composait l'ingrédient principal. Ainsi, dans les vieux recueils de recettes et les grimoires de sorcellerie, on conseillait aux malades atteints de coliques chroniques de faire griller les oreilles d'un loup, puis de les laisser macérer dans un bouillon de chauve-souris. Avant de les consommer, il était recommandé de laisser infuser et de boire le jus très chaud.

Contre l'épilepsie, un œil de loup séché pendu en sautoir autour du cou de la malade faisait des miracles. Une dent de loup en cabochon sur la bavette de bébé le préservait des accidents. Le foie séché au four soulageait les maladies hépatiques si on le dévorait, et les verrues si on le posait en cataplasme. Une griffe de loup frottée doucement contre les gencives de l'enfançon aidait la pousse et la vigueur des dents. La langue séchée, portée de la même façon, éloignait les mauvaises langues et les faiseurs de ragots. En prime, elle assurait de bons gains au jeu.

D'ailleurs, souverain contre certains maux, le loup l'est aussi contre les mauvais sorts et pour attirer les bonnes influences : la peau de loup, portée en col ou en cravate, rend heureux en amour. Transformée en chausses, elle instille aux jeunes soldats courage et pugnacité au combat.

Le museau de loup, séché puis réduit en poudre, chassait les démons et les mauvais sorts tandis que la queue, enterrée dans la cour d'une ferme, écartait les ondes maléfiques et protégeait les animaux.

Quant aux morsures de loup, si elles ne transmettaient pas la rage, elles soignaient les enflures et toutes les tumeurs.

Encore fallait-il avoir des loups et donc les tuer.

La médecine n'offre pas le seul prétexte à leur capture. La protection des troupeaux et du gibier, ainsi que le plaisir pur de la chasse, ajoutent autant de prétextes à les pourchasser, jusqu'à planifier, dans toute l'Europe, la destruction totale de l'espèce. Au XVe siècle, l'Angleterre exige que ces bêtes disparaissent : soit chaque province fournit son quota de cadavres (trois cent loups par an pour le seul pays de Galles), soit elle s'acquitte de très lourds impôts. Idem pour l'Allemagne et la Pologne, mais le cheptel de loups qui y sont massacrés est remplacé par de nouvelles hordes venues de Russie. On tue, torture, dépèce, dépouille, empoisonne et piège à tour de bras pendant des années et des siècles : quelque mille cent loups sont détruits en France en 1884.

Pour que le massacre ne cesse jamais, des battues sont organisées, primes et bonus sont versés aux tueurs. La louve pleine est particulièrement bien rémunérée. Sa fourrure cotée sur le marché. Les paysans laissent trop souvent l'ennemi s'échapper ? Charlemagne invente les Louvetiers,

François Ier officialise ce corps, Napoléon le revigore : voilà cette armée spéciale lancée en une guerre permanente contre les « bêtes rousses et noires », les loups essentiellement, mais encore les renards, les blaireaux, les sangliers et les chats sauvages. Mais la chasse aux loups reste le plus grand bonheur de ces soldats séduits, chez un animal, par tant d'intelligence, de courage, de ruse, d'endurance et de dignité face à la mort.

En Mongolie, les cavaliers les traquent avec leurs aigles. En Amérique, les Indiens Comanches les prennent au lasso et les tuent à la lance. À l'instar des chasseurs de prime, des professionnels, engagés par les gouverneurs d'États tel le Colorado, les pistaient jusqu'à leurs tanières où ils exterminaient les portées.

L'espèce est aujourd'hui éteinte en Irlande, en Grande-Bretagne, en France (les loups qui y vivent viennent d'Italie par les cols alpins), en Belgique, aux Pays-Bas, en Allemagne, en Suisse, en Autriche et en Hongrie. Et la chasse continue dans les pays de l'Est, en Mongolie et en Chine, dans les Balkans. Ce n'est qu'en 1979 que la Convention de Berne, enfin, déclarera le *canis lupus* espèce protégée.

***

Cette nuit-là, il faisait noir d'encre.

Jeff était absent. Je ne parvenais pas à dormir, aussi je m'étais lancée dans le décryptage d'une partition. Harvey pleurait et grattait la porte du jardin pour sortir. Elle avait pris une sérieuse habitude de nos balades et considérait désormais qu'elles lui étaient dues. J'ai regardé ma montre. Il était deux heures du matin. Après tout, pourquoi pas ? J'ai refermé mon livre et nous sommes parties toutes les deux, d'un pas vif, en direction du nord. Mon ombre, comme un yoyo, s'allongeait démesurément puis rétrécissait au fur et à mesure des lampadaires aux halos jaunes. Tout dormait à cette heure. Les hommes, les voitures, les rêves. Et, sauf quelques oiseaux de nuit et le passage lointain d'une voiture pressée de regagner le *sweet home,* nul bruit ne troublait le sommeil général, si total qu'il semblait narcotique.

J'aimais particulièrement avancer ainsi, à marche forcée, au milieu de la nuit, sentir mes muscles s'endolorir, mes hanches balancer et, dans ce mouvement, tracer dans l'air d'invisibles arabesques. Souvent, j'ai imaginé que j'allais avancer tout droit, devant moi, à longues enjambées sans jamais faire demi-tour, sans jamais briser le rythme de la marche et son tempo bien frappé. Je pouvais marcher longtemps d'ailleurs jusqu'à anesthésier cette machine formidablement mécanique qu'est mon corps, sa féroce vitalité. Je l'avais éprouvée enfant, en me coupant les mains et les membres. Adulte, j'adorais m'infliger d'autres épreuves : courir, monter des escaliers à toute vitesse en retenant mon souffle ; dans les hôtels où je logeais le temps des concerts, je m'étourdissais dans l'effort de soulever poids et haltères, de courir sur des tapis roulants, d'expérimenter toutes ces magnifiques mécaniques de musculation sur lesquelles je m'entraînais jusqu'au vertige. Ce dépassement de la fatigue me faisait accéder à un autre niveau du mouvement, celui de la pensée, puis de la musique par le rythme justement, par la mesure.

Ce soir-là, en marchant, je me souviens d'avoir songé au film de Charles Laughton, *La Nuit du chasseur*, que j'avais loué plusieurs fois à Paris, dans ma période d'apprentissage de l'anglais. J'avais été éblouie par la beauté des scènes qui illustrent la dérive des deux orphelins dans leur barque, sur le Mississippi. Vous souvenez-vous de ces images de nuit troublante et mystérieuse ? de toute l'innocence du monde réfugiée dans le sommeil de ces enfants livrés au cours du fleuve ? Et le destin dans la figure de ce fleuve immense et imprévisible, aux îles mouvantes, dont je réalisais avec peine qu'il coulait à quelques centaines de kilomètres seulement de mon nouveau chez-moi. Je trouvais joli qu'à l'image d'Ulysse dans son bateau, Moïse dans son couffin et Remus et Romulus sur le Tibre, Charles Laughton ait décidé de composer à son tour un mythe fondateur, et qu'il l'ait fait au cinéma, l'écriture américaine par excellence. La barque sans capitaine glisse entre deux rives où la nature a posté ses animaux vigiles, victimes ou prédateurs, sur le qui-vive.

En marchant, Harvey sur mes talons, je revoyais l'iguane, la chouette, l'araignée et le renard, toutes ces scènes que j'avais particulièrement aimées dans le film. J'avais la sensation, maintenant que j'étais parvenue dans la zone déserte du quartier, que des iguanes, hiboux, insectes et renards, de chaque côté du chemin, me regardaient passer.

Et c'est à cet instant que je l'ai vue pour la première fois.

Une silhouette de chien mais, dès le premier coup d'œil et malgré la nuit, on savait instantanément que ce n'était pas un chien. L'animal avait une démarche indescriptible, tendue, furtive, comme si elle avançait dans un tunnel d'une hauteur à peine suffisante. Ses yeux avaient une luisance presque surnaturelle ; ils diffusaient une lumière sourde, violette et sauvage. Bizarrement, chacun de ses pas éteignait les sons autour d'elle : plus d'oiseaux de nuit, plus de reptations ni de bruissements d'ailes mais un silence épais et tendu. Elle m'a regardée et un frisson m'a parcourue – ni peur, ni angoisse, un frisson tout simplement.

À une vingtaine de mètres derrière l'animal, un homme de haute taille a surgi à son tour. Harvey a poussé un petit gémissement et a filé dans le sous-bois où elle s'est couchée. Alertée par l'attitude de mon chien, je me suis immobilisée.

— Vous vous promenez souvent à cette heure-ci ?

La voix était harmonieuse, l'intonation curieuse, dépourvue de chaleur comme d'animosité. Malgré ma solitude dans ce lieu désert et à cette heure, malgré l'étrangeté de cette rencontre, je ne me suis pas crue en danger.

J'ai répondu à ma façon très directe, en brûlant des étapes :

— Je suis musicienne, pianiste, et il m'arrive de travailler tard le soir.

En vérité, ce n'était pas l'homme qui m'intriguait, mais son chien. Dans l'obscurité, l'animal ressemblait étrangement à Harvey ; pour autant, il était radicalement différent, non pas par son physique, mais plutôt par son comportement. Il se tenait éloigné, un peu à part. À peine ai-je terminé de parler qu'il s'est avancé vers moi avec une souplesse aérienne. Il est venu me flairer pour reculer aussitôt.

— Musicienne, vraiment ?

L'inconnu se présentait. Il s'appelait Dennis. Il adorait la musique classique lui aussi, et il avait beaucoup d'enregistrements. Je pourrais venir quand je voudrais. Je trouvais le procédé un peu grossier et je m'amusai à l'idée de tous les subterfuges qu'un homme est capable d'utiliser pour attirer une femme chez lui. D'un mouvement du pouce par-dessus l'épaule, il m'a indiqué son domicile et d'un seul coup, j'ai compris que j'avais devant moi mon « inconnu aux cobras ». Mais alors, cet animal ?

— C'est une louve, a expliqué Dennis sans même que je formule la question.

Au même moment, elle s'est approchée de nouveau. Je n'ai pas avancé la main.

— Ne bougez pas, elle est timide.

Je ne fis pas un mouvement, comme si elle n'existait pas. Harvey restait dans son coin, couchée, aplatie au sol. Dennis continuait à parler, mais je me sentais moins à l'aise. Les mises en garde de mes voisins faisaient leur chemin : je restais sur le qui-vive. Musicien ? Des milliers de disques ? Il ne parlait effectivement que de musique. Mes doutes ont été ébranlés lorsqu'il a évoqué une certaine version d'une œuvre de Franz Liszt jouée par Claudio Arrau, et la *Troisième Symphonie* de Brahms dirigée par Karajan.

Voyons... Portait-il ces armes qu'il était réputé posséder ? Je scrutais sa silhouette dans l'obscurité. Impossible de deviner quoi que ce soit, sauf qu'il avait la cinquantaine et qu'il était très grand et très mince. Par instants, les verres de ses lunettes lançaient de petits éclats dans la nuit.

Et la louve a bougé.

À pas doux, elle est revenue vers moi. J'avais les bras ballants. Elle s'est approchée de ma main gauche, l'a flairée. J'ai juste étendu les doigts et toute seule, elle a glissé sa tête puis ses omoplates contre ma paume. Alors, j'ai ressenti une étincelle fulgurante, une décharge dans tout le corps, un contact unique qui a irradié tout mon bras, ma poitrine et m'a emplie de douceur. De douceur seulement ? Oui, dans ce qu'elle a de plus impérieux et qui a élevé en moi un chant mystérieux, l'appel d'une force inconnue et primordiale. Au même moment, la louve a semblé ramollir et elle s'est couchée renversée sur le flanc. Elle m'offrait son ventre.

Dès qu'elle a touché ma main, Dennis a cessé de parler. Son regard fixait la louve. Il semblait sidéré. Lorsqu'elle s'est couchée, il a murmuré :

— Je ne l'ai jamais vu faire cela.

— Cela ?

— Qu'elle se couche ainsi. C'est un signe

incroyable de la part d'un loup, un signe de reconnaissance et de confiance. Et même un signe de soumission. Les loups éprouvent une véritable phobie de l'homme. Ils ne s'exposent pas de cette façon s'ils ne se sentent pas en sécurité. Même avec moi, elle ne s'est jamais comportée ainsi...

Elle restait à mes pieds. Je devais lutter contre une formidable envie de frotter mon visage contre son museau, de la caresser, de courir avec elle dans la nuit.

— Comment dois-je lui répondre ?

Je craignais d'ébaucher un geste maladroit, de détruire en un mouvement malencontreux ce pacte tacite, inouï et originel que la louve passait avec moi.

— Pourquoi ne viendriez-vous pas lui rendre visite, demain ou un autre jour ? Elle s'appelle Alawa.

Mon sourire de bonheur, je crois, aurait pu éclairer la nuit.

***

La société des loups – la meute – ressemble étrangement à celle des hommes. Il s'agit, en effet, d'une version animalière de la démocratie, mais une démocratie extrêmement musclée où le chef, reconnu comme tel par les autres individus, s'impose non par sa seule force, sa rapidité et ses aptitudes à la chasse, mais en grande partie par son ascendant psychologique ; ainsi, il assurera la survie du groupe. Au contraire de la société des hommes, le respect des règles y est implacable.

La meute est constituée d'une dizaine d'individus en Europe, et jusqu'à une trentaine de loups en Amérique – mâle dominant et leur descendance à qui quelques solitaires sont venus s'agréger. Au sein de la meute, la compétition est sévère. Rien, et surtout pas sa place dans la hiérarchie, n'y est acquis. Il faut savoir quel est son rang, connaître les congénères à qui on doit le respect et ceux qui vous doivent obéissance. Cette loi de soumission du plus faible au plus fort, d'acceptation d'une domination des seconds sur les premiers constitue la fondation même de la meute.

Cette loi, les petits l'apprennent dès leur sortie de la lovière où leurs jeux, essentiellement la simulation des combats à venir, leur apprennent à exercer leurs forces, leurs ruses et leur courage – autant de qualités qui, plus tard, détermineront leur rang dans la meute. Le chef, que les éthologues appellent le mâle alpha, mange le premier. Il conduit la chasse et les traques de gibier. Il gagne l'affection et l'absolue fidélité de la femelle dominante qui lui assurera une descendance. Seul le couple leader peut procréer, ce qui assure que seuls les gènes les plus forts passeront à la postérité. Néanmoins, les autres loups forment des couples tout aussi fidèles mais ils n'auront pas de petits tant qu'ils ne seront pas dominants et n'auront pas fondé leur meute. De nombreux zoologistes, éthologues et biologistes se sont penchés sur ce phénomène et l'ont baptisé « castration psychologique ». Pour autant, ils ne présentent aucun danger pour la portée des chefs : excellents parents de substitution, ils veillent à la sécurité des louveteaux et les nourrissent de viande régurgitée.

Le loup est un animal profondément social et il ne peut vivre heureux sans la compagnie de ses congénères. Il établit un code très précis de signaux pour entériner sa place dans la hiérarchie de la meute. La queue, les oreilles, les babines expriment essentiellement le rang, mais des mimiques faciales ainsi que différentes et subtiles postures du corps – écrasement des épaules, hérissement du poil, aplatissement, position couchée, soit sur le flanc, soit bien droit, soit sur le dos – disent qui ils sont et ce qu'ils veulent être.

Le naturaliste allemand Schenkel a, le premier, étudié et répertorié les différentes mimiques de ce langage social. Il a établi un subtil distinguo entre les postures qui disent l'état émotionnel de chaque individu et, partant, son rang hiérarchique, quand la silhouette détermine, elle, le statut de chaque loup : dominant ou dominé.

Ainsi, le chef, c'est-à-dire l'alpha, se tient en règle générale bien droit, oreilles et queues dressées, bien campé sur ses pattes. S'il pointe les oreilles vers l'avant et montre les crocs, il menace, aux dominés de faire acte d'allégeance en baissant la tête, gueule fermée, queue entre les pattes.

Et ceux qui n'acceptent pas cette règle ? Les insoumis, les rebelles et les bagarreurs ? Ils doivent quitter la meute et vivre en solitaires, rôdant toujours autour du groupe, attendant l'appel de la louve et avec lui, l'occasion de fonder sa propre meute.

***

Dennis n'était pas du tout l'être qu'on m'avait décrit. Certes, il était particulièrement atypique – un parfait marginal. Ainsi qu'il me l'avait assuré le soir de notre première rencontre, il aimait passionnément la musique classique et cultivait, pour la nature, et le Grand Nord, un véritable engouement. Parfois, lorsque j'allais le voir, il me racontait des bribes de sa vie. Je la reconstituais par tranches, pièce après pièce. Il en manquait beaucoup et souvent, les versions ne concordaient plus. Quelle part relevait de l'affabulation ? Quelle part d'une vie erratique, cousue de fil blanc mais véridique ? D'origine, il était européen. Sa mère était russe et son père allemand. Un jour, quelques années après la mort de Dennis, je donnais un concert à Miami et toute cette journée avait baigné dans le pressentiment d'un événement étrange. J'avais l'impression d'être accompagnée. Une présence diffuse, perçue dans le souffle qui dérangeait le rideau de ma loge, dans la chute de son cintre de ma robe de scène, accompagnait tous mes gestes. Après le concert, une femme m'a rendu visite dans ma loge. Elle m'a immédiatement plu. Elle avait quatre-vingts ans et l'air d'en porter vingt de moins tant sa silhouette, sèche, haute, droite, avait conservé une souplesse juvénile. Elle portait un chignon tressé et tordu serré sur sa belle tête, lourde de cheveux gris, et plongeait dans vos yeux un regard perçant qui semblait vous visiter jusqu'aux étagères de vos placards neuronaux, jusqu'aux greniers de vos rêves et au fond des caves de vos petits complots et de vos mesquineries. Elle s'est présentée : la mère de Dennis. J'ai su d'un seul coup l'identité de mon fantôme.

Ce soir-là, dans ma loge, le seul soir où elle soit venue et où je l'aie rencontrée, elle ne m'a rien dit de la musique, du programme, de mon jeu. Elle m'a parlé pendant des heures de l'homme de sa vie et du bonheur qu'il lui donnait malgré ses accès d'humeur. Son regard, si dur, s'était alors embué et j'ai enfin compris qu'elle ne me parlait ni d'un amant, ni d'un mari, mais de son fils. Elle me parlait de Dennis comme une femme amoureuse et mieux encore : comme une mère éblouie. Elle parlait de lui comme s'il était toujours vivant, comme s'il ne l'avait jamais quittée, et pouvait-il en être autrement : un fils rompt-il jamais avec sa mère ?

Il avait une sœur aussi. Il la décrivait distinguée. Ils avaient peu en commun. Une mère russe, un père allemand et dans la foulée, à peine vous étiez-vous habitué à cet exotisme européen, il vous annonçait que sa famille était du Bronx, qu'il avait travaillé au Canada, en avait rapporté une fascination pour le Nord, le grand. Il se présentait parfois comme ingénieur genre Ponts et Chaussées, d'autres fois en militaire et vétéran du Vietnam.

Chaque version trouvait sa justification : les nombreux plans qu'il était capable d'élaborer pour moi, en deux coups de crayon quand je lui racontais mes enclos, mes loups, mes réserves, confortaient la thèse de l'ingénieur ; les armes, celle du Vietnam. Il possédait effectivement un véritable arsenal dont plusieurs Kalachnikov avec quoi il s'amusait à m'entraîner au tir. Qu'importait ? Avec ses airs d'acteur des années 1940 et sa belle voix, avec le contraste étonnant entre la précision de ses gestes et son intense myopie, Dennis avait un charme fou – le charme de la belle amitié. Parfois, il disparaissait des jours durant, où ? pourquoi ? Jamais, à ses retours, il ne donnait d'explications. Je ne lui en demandais pas davantage. Moi-même, je quittais souvent la Floride pour mes concerts et nous nous racontions très peu le quotidien. Lorsqu'il était disert, il reprenait la genèse des aventures d'Alawa, sa louve.

Il avait toujours rêvé d'avoir un loup. Or, l'opportunité s'était enfin présentée à l'occasion d'une de ses multiples activités – cette fois-ci, il s'agissait d'une expédition scientifique dans le Grand Nord. Là, il s'était lié d'amitié avec un biologiste qui lui avait confié, enlevée à sa portée, une jeune louve. Au Canada, la législation sur les loups est beaucoup moins stricte qu'aux États-Unis.

Et c'est ainsi qu'Alawa vivait avec lui depuis bientôt quatre ans. Dès ses premiers jours, Dennis s'était évertué à la socialiser. Promenades au parc, jeux permanents avec des enfants, en vain : Alawa était misanthrope. Comme tous les individus de son espèce, elle considérait l'homme comme son ennemi juré, son bourreau, celui que son instinct et ses gènes lui avaient appris à redouter.

Sa vie d'animal de compagnie et de citadine, si elle avait accru sa peur, n'avait rien éteint de son naturel ni de sa sauvagerie. Chez Dennis, tout était dévasté. Il avait d'ailleurs fini par lui céder le rez-de-chaussée de la maison, dont les meubles avaient été lacérés, mâchés, brisés. La force prodigieuse de ses mâchoires et le besoin de dépenser l'inépuisable énergie de son espèce avaient broyé tout ce qui pouvait l'être autour d'elle. Le velours des canapés était éventré, la mousse lacérée, le bois des meubles raboté et leurs pieds mâchés jusqu'au stade de l'allumette. Il n'y avait plus un objet, un élément de mobilier à peu près entier. On aurait dit un chantier dévasté après une explosion.

Dennis avait construit dans le grand jardin un enclos où Alawa tournait et retournait pendant des heures et, entre cet enclos et la maison, il avait pratiqué une porte de communication : Alawa ne pouvait pas rester seule longtemps et quand Dennis partait, il fallait l'enfermer dans la maison.

Dès le lendemain de ma visite, je m'étais précipitée chez Dennis pour la revoir. J'en avais parlé à Jeff, au téléphone, la voix vibrante d'excitation.

— On te croirait amoureuse, a-t-il plaisanté.

Oui, exactement. J'étais tombée en amour de cette louve, à quoi la curiosité et l'enthousiasme donnaient des allures de passion. Comme au premier soir, Alawa m'avait reçue avec tous les signes du bonheur. L'étonnement de Dennis ne cessait de croître. Cette complicité immédiate l'ahurissait, moi, elle me comblait. Cet après-midi-là, nous n'avons parlé que du *canis lupus.* J'étais insatiable. Dennis entremêlait son discours d'évocations de sa guerre du Vietnam et d'envolées lyriques sur le Grand Nord.

À la nuit tombée, je me suis brusquement levée pour partir.

— Je ne t'ai pas montré mes CD. Tu peux revenir demain ?

Pour Alawa, je serais revenue tous les jours et pendant des dizaines d'heures. Et d'ailleurs, c'est ce que j'ai fait : chaque jour, j'ai repris le chemin de la petite maison au bout du quartier et au fond du bois.

Dennis avait, effectivement, une très belle collection d'enregistrements et une chaîne stéréo d'une excellente écoute à l'étage. Tout était sous clef pour interdire une incursion éventuelle de la louve.

En dehors de ces heures réservées à la musique, je partageais des moments privilégiés de bonheur avec Alawa. L'échange affectif était fort et exubérant de sa part. Elle surgissait de la façon la plus imprévisible. Souvent, elle me prenait au dépourvu. Chaque fois, Dennis décodait ses mimiques, m'indiquait les réponses.

— Je vais être absent pendant une semaine.

— Oh ?

— Je rentrerai tous les soirs pour nourrir Alawa, mais tu peux venir la voir pendant la journée si tu veux.

M'introduire seule sur son territoire ? Était-ce

dangereux ? Il y avait cette interrogation dans le silence que j'ai opposé à sa proposition. Nous nous sommes regardés et j'ai su qu'il n'en savait rien, ou qu'il subsisterait toujours un doute. J'ai compris aussi que Dennis me mettait à l'épreuve. C'était à moi de choisir. Aurais-je la trempe nécessaire ? Et la force de ne jamais manifester la moindre crainte ?

Quinze ou vingt secondes plus tard, nous décidions que, le lendemain, à l'aube, Denys me laisserait les clefs de sa maison dans un pot de fleurs.

***

Les loups sont revenus sur le territoire français en 1992, dans le Mercantour. Ils ont franchi la frontière italienne pour s'installer dans cette zone du massif alpin. Ils sont une trentaine aujourd'hui, protégés par la Convention de Berne que la France n'a signée qu'en 1990, onze ans après sa ratification. Auparavant, l'armée nationale était mobilisée dès qu'un loup était signalé. C'est que, l'été, le *canis lupus* s'attaque aux troupeaux de moutons qui pâturent dans les alpages. Ainsi, chaque année, un millier d'ovins disparaissent sous leurs crocs – rien au regard des destructions dues aux chiens errants.

Ces attaques, autrefois, étaient évitées par les bergers et leurs chiens, les patous, et par un parcage nocturne. Mais la concurrence mondiale oblige les éleveurs à contrôler tous leurs coûts de production pour rester compétitifs face aux importations de viande néo-zélandaise et argentine et donc, à laisser leurs troupeaux errer seuls dans la montagne, où le loup a établi son territoire. Pour le punir et s'en débarrasser, et bien qu'ils sachent pertinemment l'espèce protégée, certains abattent les loups à coups de fusil, empoisonnent des boulettes de viande à la strychnine et au cyanure, dans l'impunité la plus totale.

La peur du loup prendrait-elle l'Europe à la gorge ? À moins qu'il s'agisse d'un mal typiquement français. En Italie et en Espagne (où quelque deux mille loups ont été répertoriés), la présence de bergers et de leurs chiens prévient les pertes dans les troupeaux. Là, depuis longtemps, le *canis lupus* cohabite harmonieusement avec l'homme, l'ours, les ovins et bien d'autres espèces encore.

Coïncidence ? Les loups et les femmes sauvages ont la même réputation. Clarissa Pinkola Estès a écrit que l'histoire des loups présente d'étranges similitudes avec celle des femmes, du point de vue de l'ardeur comme du labeur. Et c'est vrai, les loups et les femmes partagent certaines caractéristiques psychiques : sens aiguisés, esprit ludique et aptitude extrême au dévouement.

Surtout, une même violence prédatrice, issue d'un même malentendu, s'exerce contre les loups et les femmes. Sirènes ou sorcières, elles ont été punies de leur relation primitive, sauvage, essentielle avec la nature. On a voulu mutiler leur mémoire enfouie du Jardin, d'où la beauté comme la perte ressuscitent parfois d'étranges souvenirs et de puissantes intuitions. Certaines ont été brûlées, d'autres bannies. Chez d'autres encore l'ombre, quand elles courent sous la lune, s'étend et s'ébroue comme celle d'une louve. Ce sont celles qui rient et aiment sans contrainte, enfantent et créent, se réjouissent de leurs formes et du sang chaud qui s'échappe de leur corps ; et qui connaissent d'instinct les vertus de chaque herbe et le poison des fruits.

Ce sont elles que les *cantadoras* d'Amérique du Sud chantent, « la femme qui vit au bout du temps » ou « la femme qui vit au bord du monde ». Cette femme, cette louve, reste amie et mère des égarés, de ceux qui ont besoin de savoir, qui ont une énigme à résoudre, qui errent dans le désert ou la forêt, en quête d'une réponse, d'un signe, d'un espoir.

***

Le lendemain, j'ai trouvé le pot de fleurs sans difficulté. J'ai introduit la clef dans la serrure et poussé la porte, le souffle suspendu, et j'ai tendu l'oreille.

Si mon incursion avait été remarquée par la louve, elle n'en manifesta rien. Pas un grognement. J'ai refermé la porte derrière moi, le cœur battant.

— Alawa ?

Elle s'est abattue sur moi comme une masse. Je me suis pétrifiée. Que faire ? Comment réagir ? J'écoutais de toutes mes forces son souffle court et haletant. Grognait-elle ? Mais un loup grogne-t-il ?

D'un coup de canines, elle pouvait m'égorger – ses crocs luisaient si près de ma jugulaire.

Quoi qu'il en soit, elle devait ignorer mon inquiétude. Je me suis appliquée à respirer doucement. Lentement, très calmement, j'ai posé mon sac pour en extraire une partition. Enfin, Alawa a relâché son étreinte et elle s'est éloignée à son tour.

Cette brusque simulation d'attaque, elle s'amusait parfois à la refaire. Un jour, j'étudiais une partition, et de nouveau, alors que je n'avais pas entendu le moindre bruit ni le moindre souffle, elle m'est tombée dessus, l'œil fixe, luisant, les babines étirées dans un étrange sourire. J'avais parfois l'impression, chez elle, de brusques réminiscences, de brefs éclats de sa sauvagerie originelle et je me demandais si elle n'allait pas, d'un seul coup, céder à cet appel, se jeter sur moi, me déchiqueter, plonger avec délectation son museau dans mes entrailles. Et puis, quelques secondes plus tard, elle se calmait et se couchait à mes pieds.

À partir de ce premier tête-à-tête, je suis venue très souvent la voir. Elle laissait sa joie déborder lorsque je passais la porte. Alors, nous jouions ensemble, elle me mordillait les oreilles, tirait mes cheveux, gambadait, m'entraînait, s'affolait. Très vite, nous nous sommes comprises et entendues ; un battement de cils, un geste de la main et elle savait, elle était là, elle ne me quittait plus. Lorsque je jouais, elle se couchait à mes pieds, attentive, le museau posé sur ses pattes, la queue métronome.

Affectivement, Alawa a été l'une des plus grandes présences de ma vie. Notre attachement et notre confiance mutuelles étaient totales, absolues. Dennis ne cessait de s'en émerveiller : normalement, les liens avec une louve sont particulièrement rares, et presque impossibles lorsqu'on ne l'a pas élevée. La spontanéité de notre entente restait inexplicable.

Alawa était canadienne, dotée d'une fourrure étrange, aux poils très longs. Elle avait les yeux d'un bleu intense et avec elle, je me sentais heureuse, entière, absurdement jeune et forte.

J'ai commencé à la faire sortir de son enclos, à l'entraîner à ma suite loin de la maison de Dennis. Je lui faisais traverser la rue, emprunter un chemin, trotter avec moi dans les bois, le long des marécages. Puis j'ai voulu l'amener à la maison mais là, Jeff a explosé.

Mon amitié pour Dennis lui déplaisait souverainement. Mes sorties avec Alawa le mettaient hors de lui. Étais-je en train de perdre la tête ? Me promener avec un animal sauvage au risque de ma vie, de celle des voisins, une louve de surcroît ? Avais-je oublié que Dennis la détenait en toute illégalité ?

Je l'écoutais, déterminée à ne pas céder. Je ne lui concédais rien. J'ai continué à attacher Alawa à chacun de mes pas.

La louve se méfiait de Jeff autant que lui d'elle. Lorsqu'il s'approchait de moi, elle retroussait les babines, découvrait ses crocs impressionnants et grognait, grognait, l'œil un peu fou. Malgré tout, il a fini par comprendre que je ne renoncerais jamais à elle. Alors, il a fermé les yeux lorsque j'ai décidé que nous allions déménager pour trouver une maison beaucoup plus isolée, dans un très grand parc, de façon qu'Alawa se sente heureuse et chez elle, avec de l'espace. Notre nouvelle maison était proche de celle de Dennis, plantée dans la même zone un peu déserte, en bordure des bois et des marais. Aussi, la nuit, il m'arrivait de l'entendre hurler, hurler sans fin, modulant un son puissant et vertical.

— Pourquoi hurle-t-elle comme ça ? J'ai le sang glacé dans les veines, me disait Jeff, réveillé en sursaut.

— Elle ne hurle pas.

Je lui répondais le cœur battant, dévorée par l'envie de courir la rejoindre :

— Alawa ne hurle pas, elle m'appelle.

Comment lui dire ? Ce cri, c'était comme si un fantôme de femme vive et rieuse, libre, m'enfourchait et me chevauchait ; comme si, en moi, quelque chose bougeait dont je sentais les sabots s'enfoncer dans des forêts impénétrables, s'ébrouer dans la neige de mon âme, ficher dans mon cœur, comme la pointe d'une flèche, la nostalgie puissante d'un ailleurs à venir, celui-là même qui me hantait, enfant. Comprendrait-il ? J'en doutais, incapable moi-même de m'expliquer cette exultation. Alors je ne lui expliquais rien.

Ainsi, Alawa et moi, nous fîmes toutes les deux de nombreux allers-retours entre les maisons. À l'extérieur, elle restait timide et préférait les sorties nocturnes, mais dès qu'elle se savait chez elle, avec moi, Alawa était parfaitement calme et heureuse.

Dans la bibliothèque de Dennis, j'avais trouvé sur un rayonnage quelques ouvrages sur les loups. Éthologie, zoologie, droit de l'environnement. J'ai commencé par les feuilleter avec une idée précise : trouver un chapitre qui décrive avec précision les mimiques et les postures de ces animaux lorsqu'ils évoluent en meute. J'ai tout lu, j'ai dévoré ces pages tant le sujet m'a passionnée. Il était question de la vie en meute, de la solidarité de ces animaux, de leur intelligence surtout. À preuve : un loup, au combat, sait reconnaître quand il est vaincu et fait allégeance ; son vainqueur ne s'acharne jamais ni ne le tue. Éminemment social, le loup peut mourir de chagrin sans ses compagnons, loin de sa meute. « Les chiens ont le cœur féroce, les loups ont le cœur tendre. » J'ai écrasé une larme en lisant l'histoire relatée par le naturaliste Robert Hainard qui en fut le témoin : une louve blessée, boiteuse, très faible, se traînait dans la neige pour avancer tandis que son compagnon, resté à ses côtés, la nourrissait et la protégeait.

Ainsi, j'ai commencé à étudier l'éthologie. Je suivais des cours à l'université en auditeur libre ; je me suis inscrite à des conférences. J'ai parcouru le territoire américain pour visiter les réserves où des spécialistes étudiaient la biologie et le comportement des loups. En quelques mois, je connaissais par cœur l'annuaire des meilleurs spécialistes aux États-Unis. Je ne manquais jamais aucune de leurs démonstrations. Les cours d'Erich Klinghammer, à l'université de Chicago, dans l'Illinois, ceux de Durward Allen, de David Mech m'ont spécialement passionnée. J'ai travaillé l'éthologie comme la musique à mes débuts, avec fureur et acharnement, des heures durant. J'étais fascinée par mon sujet et l'immense espace de liberté et d'indépendance dont il m'ouvrait les portes. J'avais décidé d'adopter Alawa ; je voulais créer une fondation et un parc entièrement consacrés à l'étude et à la réhabilitation du *canis lupus.*

Évidemment, pendant ces études et ces voyages, j'ai ralenti mon travail musical. Je continuais d'explorer le même répertoire, sans l'élargir, pour me consacrer à mon nouveau travail. Je focalisais mon attention sur la musique de chambre mais lorsque je me consacrais à la musique, c'était dans une totale disponibilité d'esprit, à cent pour cent de mon énergie.

J'ai pris des dizaines de rendez-vous avec l'administration américaine pour obtenir les autorisations de créer ma fondation, les permis d'élever et de protéger des loups à mon domicile. Devant chaque fonctionnaire, j'ai dû montrer patte blanche. Je plaçais l'intégralité des cachets de mes concerts pour acheter une propriété où installer ma meute.

J'avais la fièvre et un enthousiasme inentamable ; j'aurais abattu des montagnes pour parvenir à mes fins. Le temps des doutes, des abîmes et des fêlures était révolu. Une force première me portait, me soulevait, m'entraînait bien plus loin que je ne l'avais imaginé. En même temps, je culpabilisais beaucoup à propos d'Alawa. Entre mes concerts et mes déplacements, je restais peu à Tallahassee.

La louve était revenue chez Dennis. Je la savais malheureuse de mon absence ; elle me manquait aussi, terriblement. Je me consolais en me répétant que très bientôt, elle serait avec moi, parmi les siens avec qui elle pourrait jouer, dans un espace digne d'elle. Cette perspective paradisiaque ne calmait pas toujours mon chagrin.

***

Il est impossible, aujourd'hui, de décompter avec précision le nombre de pièges et de poisons que l'homme a inventés pour exterminer le loup ; mais l'ingéniosité et la cruauté de leurs mécanismes éclairent sur la barbarie mise en œuvre pour faire mourir la bête. Ainsi, certains pièges à loup étaient formés de quatre mâchoires à dents d'acier, tendues par un ressort que le décrochage de l'appât déclenchait. Alors les mâchoires du piège s'ouvraient d'un seul coup dans la gueule du loup, la lui écartelaient, en même temps qu'elles le tractaient pour le pendre par la tête.

Des trappes cachées sous des branchages s'ouvraient sur des fosses hérissées de pieux, de dards perforants, de lames barbelées. Des filets se resserraient sur les loups et les pendaient tête en bas. Des lacets les étranglaient. On cachait de la viande au fond de boîtes dont l'entrée était équipée d'une guillotine latérale ou verticale. Ou bien on truffait la viande d'un véritable arsenal de l'horreur : hameçons qui leur déchiraient la gorge, verre pilé, boulettes d'arsenic, de strychnine, d'aiguilles. L'un des pièges consistait à enrouler une longue et très fine lame particulièrement effilée sur elle-même, à la maintenir bien en pelote dans un morceau de viande. Une fois digérée, la spirale se défaisait, déchirant en s'ouvrant brusquement les entrailles de l'animal qui, ainsi, agonisait dans d'atroces souffrances pendant des heures.

***

Et puis, Jeff et moi nous nous sommes séparés et je suis partie pour New York. Un matin, j'ai posé mon sac sur la Cinquième Avenue pour repartir de zéro. Sur un coup de tête. Seule. Déterminée à creuser une douve entre la Floride et moi, à ne jeter aucun regard par-dessus mon épaule pour ne pas me transformer en statue de sel. J'avais décidé de fonder mon centre dans une région résolument au nord de cette ville : j'avais lu que les loups sont particulièrement heureux l'hiver, et dans le froid.

J'avais néanmoins renoncé aux grands espaces du Canada : mon métier exigeait la proximité d'un aéroport et d'un moyen de transport rapide pour rejoindre mon domicile. Je prospecterais à partir de cette capitale où réside la majorité des agences immobilières.

Rien ne prépare à New York dans son ensemble, ni au Bronx, ni à Harlem, ni à Manhattan, vers

Ellis et Staten Island, ni même à Times Square : rien ni personne ne peut préparer au choc de cette ville, véritable centre de gravité de notre monde. Arrivé là-bas, ou là-haut, comme l'on veut, on change d'univers ; New York est un défi à la notion même de ville : plats, blocs, reliefs, proportions, disposition des éclairages, nombre, mesure, pesanteur, effets de symétrie, forces verticales ou horizontales, tout y est différent, l'échelle a changé. Les lignes droites et infinies des façades les font paraître aussi aériennes qu'inhumaines. Elles sont comme une réponse à la leçon d'Icare : à croire qu'on a voulu précisément les hisser jusqu'à un ciel d'où l'on ne tombe plus. Électricité maximale, haute tension perpétuelle, anticyclone persistant ; New York est un endroit où le premier mouvement est d'angoisse : tant de gens débordés, des centaines, des milliers, des millions, qui courent dans les rues et qui semblent n'avoir rien d'autre à faire que de faire exister la ville. Pas de lien social, pas de convivialité, on ne ressent pas le poids de l'histoire, ni celui de l'avenir : tout se joue au jour le jour, dans un présent définitif et sans lendemain. Chaque minute est différente, jamais rien ne se répète, tout y apparaît absolument neuf. On y entend toutes les langues à chaque croisement de rue, on y voit tous les types d'individus, du poète excentrique au *chairman* angoissé, on y vérifie toutes les turpitudes, les plus grandes comme les plus lâches, liées à l'argent, mais surtout on comprend ce que signifie d'être au désert au milieu de la foule. On y vit avec le pressentiment d'une catastrophe mais un pressentiment exalté, tendu au bord de la folie...

Un jour que je marchais, avec dans l'oreille le cri d'une femme qu'on battait à l'étage d'un immeuble, sans que personne ne s'en émeuve ni ne bouge, pendant que deux gamins s'échangeaient de la drogue à la sauvette et que dans ce même temps – les cris, la drogue – une énorme limousine comme on n'en voit que là-bas, blanche, longue, six portes et vitres fumées passait dans le silence d'un moteur bien rodé, et pas un arbre, pas une prairie autour de moi mais un terrain de basket asphalté jusqu'aux recoins, j'ai su, j'ai réalisé que cette ville était bien celle du prince de ce monde, le lieu de tous les vices où l'argent coule à flots. J'ai su que New York perdait les âmes ; j'ai enfin compris d'où s'échappaient ces petites fumées blanches qui perçaient le macadam été comme hiver : de l'enfer, juste en dessous.

Dans un premier temps, ce chaos gigantesque m'a plu. New York oblige à repenser tous les ordres dans une ébriété qui peut donner le vertige. Il était à l'échelle de mes turbulences personnelles, et l'énergie électrique que dégageait la ville à celle de ma détermination. J'avais envie de me fondre dans un lieu qui me resterait totalement étranger et n'influerait en rien mon imaginaire, ni ne me ramollirait. Je voulais me durcir le cuir, me tremper le tempérament. Je continuais à m'infliger une diète drastique pour ne rien entamer de mon capital, étirant chaque dollar dans toutes ses possibilités pour me nourrir : je dévorais un bretzel chaud acheté au coin de deux rues, une soupe bien lourde dans un Delicatessen du Bronx.

Je n'étais pas à New York comme à Paris à mes débuts, à errer interminablement. Là, je quadrillais la ville, annuaire en main pour y visiter les administrations, trouver les laveries pour nettoyer l'unique tenue de rechange en ma possession, hormis l'habit de scène à l'usage de mes concerts. D'habitude, aux États-Unis, ces machines meublent les sous-sols des résidences. Celles que j'habitais étaient trop pauvres pour posséder un tel trésor.

En trois ans – puisque je ne me suis installée à South Salem qu'au printemps 1997 –, j'ai déménagé à raison d'une fois tous les trois mois environ sans en avertir personne et surtout pas mes parents auxquels je cachais avec succès ma précarité volontaire. Je ne défaisais presque jamais ma petite valise : elle me tenait lieu de placard. Les locations à New York étaient très difficiles pour moi à l'époque. Je n'avais pas de compte en banque là-bas, pas de carte verte – légalement je n'en avais pas besoin, puisque je passais toujours moins de temps que le temps maximum prévu par le visa de travail, dans la mesure où je retournais une fois par mois en moyenne jouer en Europe. Personne ne me connaissait ici, j'étais une parfaite inconnue. De toute façon, les musiciens classiques y sont totalement obscurs, exception faite de Pavarotti et de Yo-Yo Ma.

À l'époque, je n'avais joué que deux fois à New York, ce qui est loin d'être suffisant pour que les gens retiennent votre nom ; je ne parle même pas de célébrité, ni même d'un simple crédit. En fait, c'était la croix et la bannière pour vivre, sans autre légalité qu'un visa de travail. Réussir à louer un pied-à-terre relevait de l'exploit. Et je me suis souvent retrouvée dans des squats indescriptibles. Non par ma volonté, mais parce que je n'avais pas le choix. J'ai changé quinze fois de résidence. Elles avaient toutes un point commun : elles étaient situées dans des endroits glauques, mal famés. Avec des gens qui hurlent, qui se battent, qui boivent. Je déménageais tous les trois mois pour la simple et bonne raison que les propriétaires exigeaient une garantie bancaire qui, bien sûr, me manquait pour dépasser le trimestre. Alors, dès le premier jour de mon installation dans ma nouvelle location, je partais en quête de la location suivante, en même temps que je visitais les propriétés où j'allais enfin créer mon centre et installer Alawa.

C'est ainsi que j'ai atterri à Alphabet City, dans le lower east-side, en plein quartier noir, cubain et, en général, hispanique. Sous mes fenêtres, on échangeait de la drogue ; en face se trouvait un café où les gens se saoulaient, en braillant. Je vivais dans un studio en forme de boîte à chaussures.

C'est dans ce studio qu'un soir, j'ai cherché quelque chose dans un placard, et brusquement, j'ai eu la vision de chaînes et de cadenas. Un moment, j'ai été surprise, je ne comprenais pas à quoi ils correspondaient, jusqu'au jour où j'ai découvert, en visitant le premier enclos que j'ai fait construire pour les loups, que la grille d'entrée, la chaîne et le cadenas étaient rigoureusement les mêmes que dans mon rêve éveillé. Pourtant, à l'époque, je ne m'autorisais même pas à fantasmer sur un enclos : j'avais à peine assez d'argent pour survivre.

À Alphabet City, j'étais hébergée par un couple homosexuel. L'un des deux était cubain ; l'autre était flamboyant, un corps d'Adonis, la peau luisante, en short, dressé sur patins à roulettes, en toute saison, qu'il pleuve ou qu'il neige. Un génie des affaires. Je me souviens encore de sa photo et de celle de son compagnon au-dessus de leur cheminée : on les voyait nus avec des fleurs colorées hawaïennes. J'en suis restée sans voix ! Eux du moins étaient franchement sympathiques, contrairement à ceux qui parlaient d'amour de l'humanité, de compassion, de fraternité, tout un beau discours pour, *in fine*, me faire des difficultés incroyables, avec tous les objets de l'appartement, le réfrigérateur, mon lit, la cuisinière, les paiements, les clefs, les horaires d'entrée et de sortie. Aujourd'hui, ces derniers proclament à qui veut les entendre que je suis leur meilleure amie et ils viennent me voir chaque fois que je donne un concert à New York.

Jamais mes conditions de travail n'ont été plus difficiles. Pour une raison simple et fondamentale : je n'avais pas de piano. En aurais-je possédé un, les choses n'auraient pas été plus simples, d'un déménagement à l'autre.

Et pourtant, jamais je n'ai été traversée par le doute comme j'avais pu l'être à Paris avant mon départ, et lors de ces journées si particulières à La Roque-d'Anthéron. J'avais une idée en tête. Ce but – un enclos où protéger des loups et défendre leur cause – me portait avec la force d'une vague de fond. Elle balayait les détails du travail pianistique. Je m'étais enfin décidée à ne pas devenir esclave de l'instrument.

Je m'étais ensauvagée...

Je me faisais une raison. Lorsque l'envie de jouer ou de mettre en pratique mon étude d'une œuvre me tenaillait et qu'aucun piano n'était à ma portée, je me répétais que la seule chose importante en musique, c'est le discours, son véhicule est anecdotique. Et puis j'ai une théorie : *qui peut le plus peut le moins.* Il est assez rare de trouver un piano magnifique, je veux dire à sa convenance, que si d'aventure, et par miracle, on le trouve, on court le risque de ne plus être en état de jouer avec un autre instrument, jugé inférieur. À l'inverse, si on ne travaille qu'avec un mauvais piano, il suffit qu'on en découvre un bon au moment du concert, pour être « aux anges ».

Et puis, lorsque je voulais travailler, j'allais chez Steinway, sur la Cinquante-septième Rue, sinon je louais un piano pour deux ou trois heures. Parfois plus mais rarement : l'aventure me ruinait.

En fait, jamais je n'ai autant répété dans ma tête, sans les mains. Et avec le cœur.

***

Pendant ces cinq années, de 1990 à 1995, j'ai achevé de rompre tous mes liens avec le milieu parisien. Je continuais d'aller régulièrement à Aix et la critique, bienveillante à mes débuts sauf ce journal conservateur dont je vous ai parlé, a fini par m'oublier. Je suis retombée dans un anonymat complet et délicieux – j'avais d'autres chantiers, d'autres tempêtes en tête, dont deux voyages à Paris ne m'ont pas sortie.

Ma vie a cette époque a été très isolée. J'étais beaucoup dans la musique, même si très peu à l'instrument. Je travaillais par la pensée, par associations d'images, par projections mentales, visions d'architecture – de couleurs. Je laissais infuser. Je n'ai loué mon premier piano droit qu'en 1997. En Floride, j'allais à l'université. À New York, j'allais chez Steinway ou d'autres, chez des amis, à la demande, mais uniquement quand il me fallait une confrontation avec l'instrument, pour que la condensation pressentie se produise.

Je n'ai été propriétaire d'un premier piano de concert, un Steinway D, qu'en 2001. Je l'ai acquis grâce à Serge Poulain, un technicien de génie. Il s'agissait d'un instrument qui appartenait à la flotte des pianos de concerts, non à celle pour particuliers. Un piano jeune, superbe, à peine sorti de l'usine. Mais ça ne m'a pas gênée le moins du monde. J'ai toujours rejeté l'idée de beauté formelle, c'est ce qu'on dit qui est important. Et Steinway a eu la délicatesse de le livrer chez moi, empaqueté, en provenance de Berlin.

J'avais les loups. J'avais la musique.

J'avais la musique des loups sous la lune, et dans mon jeu toute l'animalité qui sauvegarde l'artiste.

***

En 1994, on a réintroduit une meute de loups dans le prestigieux parc de Yellowstone, où prospèrent les dernières hardes de bisons, de cerfs, de wapitis et d'élans ; le dernier loup de Yellowstone avait été tué en 1924. Ces quatorze loups sauvages ont été capturés dans les Rocheuses canadiennes par les scientifiques du Gray Wolf Recovery Project, et lâchés sur ce territoire magnifique voué à la vie sauvage et originelle de l'Amérique. Ces quatorze premiers loups vont former trois meutes. L'année suivante, ce sont seize loups, capturés en Colombie britannique, qui viennent grossir les rangs et rétablir l'équilibre entre les hardes d'herbivores qui y prospéraient (et dont ils n'attaquent et ne dévorent que les individus malades ou vieux, assurant ainsi un équilibre précieux entre les espèces et la préservation de la flore). Au sommet de la pyramide des prédateurs, le loup détient le poste d'ingénieur en chef de la biodiversité. Les reliefs de sa chasse procurent de la nourriture à toute une chaîne d'espèces, oiseaux, insectes... Cette chaîne qui joue un rôle prépondérant dans la régénération de la flore et de la faune. Ainsi, la réintroduction des loups au Yellowstone a permis aux scientifiques de mesurer l'impact des loups sur l'écosystème. En deux ans, leur présence a réduit de moitié celle des coyotes et, en conséquence, doublé celle des rongeurs, nourriture des aigles et des faucons qu'on a vus réapparaître sur ces terres d'où ils avaient quasiment disparu !

À la même époque, du Montana au Minnesota, d'où il n'avait jamais complètement disparu, le loup a recolonisé ses anciens territoires en empruntant des pistes sauvages dont il avait gardé la mémoire. Et quel retour ! S'ils sont toujours quelque soixante mille au Canada, ils étaient évalués à peine deux mille cinq cents de l'autre côté de la frontière, dans le Minnesota. Ils filent maintenant vers le Wisconsin et le Michigan et toujours plus au sud, encore, vers l'Utah. Rien ne peut les arrêter, pas même la richesse en gibier de leur territoire, comme à Yellowstone.

Le ministère fédéral de l'Agriculture garde l'œil sur les meutes, et sur les individus qui partent vivre leur vie plus loin que les autorités ne le désireraient. Ainsi, un jeune couple capturé au Canada et relâché dans l'Idaho en 1995 : on le retrouve dévorant une génisse cent cinquante kilomètres plus loin. On capture la femelle, qu'on ramène sur son territoire d'origine ; le mâle, lui, est parvenu à s'échapper. Une dizaine de jours plus tard, la femelle a rejoint son mâle, les deux se livrent de nouveau à un festin interdit...

Tous les chercheurs, tous les biologistes qui ont suivi des loups l'affirment : ils ne connaissent pas d'animal plus fascinant. Et même s'ils n'observent la meute que de loin en loin, ils finissent tous par s'attacher à l'un des loups qui la compose, à lui donner un nom, à tenter d'échanger des regards, des signes, de loin en loin.

Je me souviendrai particulièrement d'Atka, né dans le Minnesota, de Jack et de Thelma, deux loups arctiques. Ce louveteau avait une semaine à peine lorsqu'il est arrivé au centre, et il n'a pas hésité une seconde avant d'engloutir un biberon plein de lait que le vétérinaire, plus tard, enrichira d'un œuf, de crème de riz et de viande hachée. Il y avait quelque chose de splendide à le regarder téter ainsi, ses énormes pattes posées sur le biberon ; à le voir dresser l'oreille, frémissant, à l'écoute du hurlement de la meute qui s'ébattait à une centaine de mètres de sa lovière.

Pendant deux mois, Atka (« ange gardien » en inuit) est resté à la « nurserie », puis je l'ai emmené dans l'enclos principal, faire connaissance avec Apache, Kaila et Lukas. Mais les trois loups se sont montrés si agressifs que j'ai préféré inverser le sens des visites : laisser les adultes découvrir – et accepter – le petit nouveau. Enfin, quelques mois plus tard, nous avons réitéré notre tentative ; nous avons introduit Atka dans l'enclos, face aux siens. Après avoir respectueusement attendu son tour pour dévorer les restes d'un quartier de daim, Atka a joué avec Lukas.

Toutes les mimiques sociales, toutes les postures de l'autorité pour l'un et de la soumission pour l'autre ont été adoptées. Le centre avait invité une classe à assister à cette rencontre. Les enfants étaient sagement restés derrière les grillages de l'enclos, bien encadrés par leurs accompagnateurs. Puis ils étaient repartis vers leur autobus.

Seul, les mains agrippées à la double résille d'acier, un enfant ne bougeait pas. Il ne détachait pas son regard du jeu des deux loups. Son groupe s'éloignait à petits pas.

Il regardait et souriait aux anges. Enfin, il a battu des mains, heureux, magnifiquement heureux.

— Merci, m'a lancé une accompagnatrice, venue le rechercher. Jamais jusqu'à ce jour cet enfant n'est sorti de son mutisme, ni de son apathie.

Elle avait les larmes aux yeux.

L'enfant, comme tout son groupe, était autiste.

***

Aujourd'hui, quand je joue, je n'ai plus jamais le sentiment d'être seule. J'ai le sentiment d'une visite. Ce qu'un pianiste fait par le travail, c'est préparer le moment de la visite. Quand je traverse la scène, je suis seule, dès que je joue, je ne le suis plus. Une présence me protège. Est-ce celle de la musique ? Celle des compositeurs que j'interprète ?

J'aime cette dernière hypothèse : à force de jouer Brahms et Beethoven, j'ai l'impression de les connaître intimement, comme s'ils m'accompagnaient, comme s'ils soufflaient mon texte. Il y a un passage *szorfando* dans *La Tempête* : à ce moment-là, je n'arrive pas à m'enlever de la tête que Beethoven fait un mouvement du coude, qu'il a dû faire ce mouvement, qu'il continue à le faire de toute éternité. Pour moi, Beethoven c'est une image d'ébrouement, de cheval qui secoue la tête – même si cela ne correspond à rien pour les autres. Quant à Brahms, allez savoir pourquoi, je lui vois un air penché, mais j'ignore si cette inclinaison tient à une attente, à une contemplation ou à l'expression d'une perplexité. Ce dont je parle, c'est chaque fois une image physique. D'ailleurs, lorsque je me dédouble et que, tout en jouant, je me vois en train de jouer, il m'arrive de voir descendre une lumière qui nimbe tout le piano et je sais qu'ils sont cette lumière. Et à cet instant, je sais que je ne suis là que pour recevoir ce chant du ciel et, à mesure qu'il me pénètre, pour le conduire, douce foudre d'amour, par la moelle de l'arbre jusqu'au fond de la Terre, jusqu'au cœur de la Terre, cet astre palpitant.

***

Jour après jour, dès que j'ai eu quelques heures libres, je me suis battue pour trouver cet enclos et protéger les loups. Je n'entrerai pas dans le détail, ni le comment, ni le labyrinthe des papiers, des autorisations : ce fut fastidieux et éprouvant. Mais je n'oublierai jamais ma joie le jour où l'agent immobilier m'a téléphoné. Il avait enfin trouvé mon paradis.

— C'est au-dessus de vos possibilités financières, mais personne n'en veut pour le moment. Les propriétaires ne trouvent pas d'acheteurs ; si vous faites une proposition, peut-être accepteront-ils.

Nous sommes partis en train pour visiter l'endroit. Février avait couvert le paysage d'une épaisse couche de neige. Au fur et à mesure que nous nous éloignions de New York, la beauté me sautait aux yeux. C'était brutal, féerique, nimbé d'une lumière vacillante d'aurore boréale. C'était sauvage et silencieux. C'était ailleurs, cet ailleurs que j'avais toujours espéré.

À la gare, après plus d'une heure de train, les propriétaires nous attendaient. J'ai peu parlé pendant le trajet en voiture, absorbée par la splendeur du paysage. Personne. Aucune habitation. Les étendues gelées scintillaient de milliers de diamants. J'ai imaginé Alawa courant ici, sautant en bonds prodigieux dans la neige et dévalant les collines. Enfin, nous nous sommes arrêtés à côté d'une petite maison sans aucun intérêt et j'ai compris pourquoi, malgré la campagne alentour et l'étendue de la propriété, personne ne désirait cette bicoque reculée, à l'écart de tout et de tous. Mon cœur a bondi de joie. Cette maison faisait exactement mon affaire. J'ai dit mon prix et nous avons conclu.

Pendant six mois, le permis des autorités new-yorkaises enfin obtenu, il a fallu réaménager le terrain, le clore avec des grillages profondément enterrés et barbelés sur leur hauteur. Une cohorte de jeunes bénévoles est venue m'aider. Et quel travail ! Il a fallu réaménager des pentes pour le confort des loups, des creux bien abrités où ils pourraient creuser leurs tanières ; il a fallu poser des caméras pour contrôler la sécurité de la clôture. Il a fallu travailler comme des brutes, porter les brouettes, charreter de la terre avec les ouvriers, planter de jeunes arbres. Mais j'avais des ailes. D'emblée, je me suis sentie heureuse. J'ai su que j'étais enfin parvenue à mon port...

Après d'infinies démarches auprès des autorités

locales, le New York Wolf Center est né. Il occupe aujourd'hui une trentaine de personnes. J'ai pu installer mes premiers loups, nourris de viande de daim, en prenant soin de changer la place du dépôt de nourriture tous les jours.

Les loups Kaila, Apache, Lukas et Atka sont là aujourd'hui et ils m'ont donné la meilleure des raisons pour revenir au piano, ils m'ont fourni une nouvelle et vitale impulsion. Kaila a été la première femelle que j'ai sauvée et installée dans le camp. Dennis m'avait recommandé d'appeler ma première louve ainsi, pour saluer les Indiens Inuits, du nord de l'Amérique, dont une légende évoque la déesse du Ciel, Kaila.

Quelle est cette légende ? Les Adam et Ève inuits s'ennuient. L'Ève s'adresse à Kaila : « Nous sommes bien seuls, nous nous ennuyons. » « Fais un trou dans la glace et va voir ce que tu en tires », dit Kaila. Du trou, la femme extrait des animaux dont un caribou. « Je t'ai fait un très beau cadeau avec ce caribou. Grâce à lui, ton peuple va prospérer », dit Kaila. Le peuple prospère grâce aux caribous. Les hommes vont à la chasse et, pour rapporter les plus beaux trophées, tuent les plus beaux caribous. Un jour, il ne reste plus que des animaux malades, vieux et maigres. Tous périclitent. Alors la femme retourne voir Kaila pour se plaindre. « Refais un trou dans la glace et vois ce que tu en sors. »

Cette fois-ci, c'est un loup. Lâché, le loup attaque les animaux malades et laisse en vie les plus sains. Le troupeau de caribous se recompose. Ainsi finit la légende inuit de Kaila et le loup...

Actuellement, l'un de mes plus grands plaisirs, c'est d'aller travailler ma musique avec eux, dans l'enclos, la nuit. Lorsque je pénètre chez eux, je n'adopte jamais l'allure d'une propriétaire, d'une conquérante. Je veille à n'arborer aucun simulacre de domination pour éviter tout conflit hiérarchique avec le mâle dominant. C'est à lui que je m'adresse en premier. Il m'accueille, debout, queue légèrement dressée, oreilles pointées vers l'avant. Et dès qu'il le permet, les autres viennent me saluer, m'embrassent, et si je les laissais faire, ils me mordilleraient le coin des lèvres comme ils se mordent gentiment, entre eux, les babines, en signe d'affection. Après quelques minutes d'agitation, les loups se calment et m'entourent ; ils se couchent autour de moi, dans une chorégraphie toujours harmonieuse, avec une telle élégance qu'on la dirait orchestrée. Alors je peux commencer à travailler mentalement mes partitions.

Ici, dans ma retraite américaine, il y a quelque chose de rugueux que j'aime, la neige, la tempête. Je répète *La Tempête* de Beethoven avec l'intuition de sa puissance de l'autre côté de ma porte. L'hiver, j'ai la morsure du froid et le hurlement du vent qui dévaste et reconstruit, le cosmos se presse contre toute ma petite maison. Dans ces instants magiques, je travaille le piano avec un bonheur incomparable. Je deviens sorcière, médium. La musique m'accomplit dans une splendide liberté, m'introduit dans ces espaces où j'entre à grands pas, qui m'habitent à leur tour, et avec eux, le souvenir de tous ceux que j'aime et que j'admire.

***

J'aime rire, de tout mon corps, des heures durant, absurdement. À l'inverse, je n'ai pas la capacité de pleurer beaucoup. Je le regrette ; parfois, le chagrin que j'ai en moi me donne des coups de pied. Je le sens monter dans ma poitrine, énorme, puissant et je sais qu'il va s'emparer de toutes mes pensées. Il a toujours le même déclencheur : la notion de perte. La première fois que j'ai ressenti cette perte définitive, et alors j'ai pleuré sans plus pouvoir m'arrêter, des pleurs intenses, cathartiques et puis des pleurs sereins, longs et chauds qui vous enracinent au plus profond de vous, c'est après avoir joué pour la première fois le *Premier Concerto* de Brahms en concert. J'ai succombé à ces pleurs quelques heures plus tard, dans l'avion qui me conduisait vers une autre ville de récital. Je me suis assise à l'avant, face à la cloison grise qui compartimente l'habitacle, et à côté du hublot. Il faisait nuit, les sièges étaient bleus rayés de rouge. J'ai appuyé mon front sur la vitre et j'ai pleuré, pleuré. Les voyageurs qui pouvaient m'apercevoir étaient perplexes, gênés même, mais je n'ai pas cherché à leur cacher mes larmes. Elles me libéraient délicieusement de cette tension formidable du concert, de ce chagrin qu'exprime si bien Johannes Brahms et qui peut vous étrangler et vous suffoquer.

Je n'ai jamais pleuré en jouant, sauf le soir du 11 septembre 2001. Alors les larmes ont trempé mon clavier pendant que j'exécutais le *Quatrième Concerto* de Beethoven, sous la direction de Christophe Eschenbach avec l'Orchestre de Paris. C'était à Londres, au Royal Albert Hall. Et j'ai repleuré au même endroit, deux ans plus tard, après avoir interprété le *Troisième Concerto* de Bela Bartok : en deuxième partie, John Adams donnait la première de sa création *De la transmigration des âmes*, composée pour commémorer Nine-Eleven justement, devant une salle debout, bouleversée d'émotion. D'un seul coup, les souvenirs de cette journée tragique me sont revenus.

Nous avions appris la tragédie l'après-midi même, pendant la répétition. Comme tout le monde, nous nous sommes précipités vers des téléviseurs pour tenter de nous convaincre de l'incroyable : ces meurtres massifs et aveugles, savamment programmés et réfléchis que répétaient les images à l'infini ; ces corps – des vies, des espérances, des amours, des joies – que l'horreur du feu précipitaient dans le vide ; ces petites silhouettes accrochées à l'acier tordu de ce qui fit leur gloire comme à la proue d'un navire en naufrage, déjà d'un autre monde, au seuil d'un inexorable adieu, les mains tendues vers nous et agitant pour nous, comme si nous risquions de ne pas les voir ni les entendre, leurs mouchoirs, leurs écharpes, pour nous impuissants et hébétés d'horreur et d'effroi, impuissants, affreusement impuissants à les sauver. Nous assistions en direct à la création de l'enfer – non pas le lieu de la douleur, mais bien le lieu où l'on fait souffrir, où l'on invente l'éternité de la souffrance.

Alors, nous nous sommes tous demandé s'il fallait, en signe de deuil, pour dire notre désespoir, notre compassion pour ces vies sombrées dans les pages d'horreur que rédige l'Histoire, annuler le concert prévu le soir même. Était-il indécent de jouer après cet acte de barbarie ? Pendant que par-delà l'Atlantique, les ruines du World Trade Center brûlaient encore ? Beethoven avait-il encore un sens ? Et la musique dans sa transcendance divine ? Et la beauté ? Et être là ? Et continuer ? Pouvait-on jouer après le Mal, non pas le Mal comme une maladie, mais comme une ivresse, « ivresse d'un mal que le Mal inspire » ?

Mais alors quoi, tout arrêter ? Bâillonner la musique, cette musique justement qu'interdit l'intégrisme ?

Au risque de jouer pour des fauteuils vides, malgré notre douleur à tous, nous avons maintenu le concert. Et comme s'ils étaient tous parvenus à la même conclusion que la nôtre, les spectateurs sont venus. Ce soir-là, la salle était pleine. Pleine et silencieuse, d'un silence terrible – celui des fantômes.

Avant d'entrer en scène, j'ai songé à New York, à l'ombre de laquelle je vivais dorénavant, à ses rues, ses avenues que j'empruntais si souvent, à cette journée levée dans la lumière glorieuse d'un soleil de septembre. À la perte de ces vies, d'une certaine insouciance. J'avais des pierres dans la gorge lorsque je suis entrée en scène, lorsque j'ai salué le public et les musiciens. Tous, je le savais, avaient les mêmes images en tête, la même peine. Mais nous avons joué, pour la vie, en son honneur.

Dès les premières mesures, j'ai senti un liquide tiède mouiller mes mains et le clavier – mes larmes.

Je crois bien que tous les spectateurs pleuraient aussi.

***

Le piano est un instrument incomparable quand il est touché par un musicien chez qui rien ne subsiste du pianiste. Il est alors le plus bel outil de la musique : le musicien lui infuse son propre chant. Sur le clavier, la musique évoquée se révèle : l'épure musicale prend de la couleur et des ailes. C'est une vivante lecture de l'esprit, sonore aux sens, sensible au cœur. Deux pianistes à cet égard m'ont marquée, entre tant d'autres – Rubinstein, Horowitz, Claudio Arrau, Maria Yudina ou Martha Argerich. Il s'agit des deux frères ennemis, Glenn Gould et Sviatoslav Richter.

De Glenn Gould, on a écrit de quoi remplir des bibliothèques ; rien n'a été épargné : sa folie, ses nuits blanches, son rire enfantin, son angoisse, sa fragilité doublée d'une force de la nature, ses mains qui tremblent, se redressent, attaquent et triomphent ; des mains à la Greco : un étirement de la foi plus fort que la douleur. On a évoqué son corps poussé à des extrêmes. On a énuméré ses échecs, ses succès, ce combat de chaque instant – ce combat contre soi aussi bien ; cette attention résolue : le sentiment du danger couru, accepté, inévitable ; la gravité que la violence de la musique imprime aux âmes fortes ; cette solitude, de ville en ville, de pays en pays, sans amis, sans amours, mais avec des amis par milliers, des amours en nombre... femmes entraperçues... mélomanes éperdues... admiratrices hystériques. La maladie ; les disciples ; les rivaux ; le sentiment d'être sur le départ, de tout quitter, de tout oublier, de se jouer soi-même ; et puis la vitesse, l'oubli, l'inquiétude... pas le temps de s'arrêter, pas le temps de respirer, *presto*, de l'avant, encore plus vite, le désir d'arriver au terme avant terme, cette impatience de se voir, de s'entendre, d'être enlevé à soi-même dans la musique plus intense. La solitude enfin. Tout ce qui m'a donné l'illusion délicieuse que j'avais un frère aîné en musique...

J'ai toujours été émue et troublée par l'idée que Gould a terminé sa vie au lendemain de l'anniversaire de ses cinquante ans, après avoir enregistré une version inoubliable des *Variations Goldberg* de Bach, autrefois son premier disque. J'y vois un signe du ciel ; ainsi la boucle était-elle bouclée, Gould s'était-il accompli dans sa fidélité exemplaire à Bach : celle de la créature au créateur.

Libre, il l'aime. Il croit passionnément en ce qu'il joue, et il en jouit. Sa musique est une vérité qui a sa preuve : elle croit et fait croire en elle. Ce mystère a nom l'incarnation. La musique de Bach enfante Gould sur terre, comme Gould l'élève au ciel. Il n'a que faire de la vérité des critiques : il la leur laisse. Il vit au noyau de ce qu'il interprète ; et comme d'autres prient, il joue. Il appelle son Dieu, désespéré s'il ne le trouve pas. La plénitude est tout ce qu'il exige : cette foi tient du miracle.

Tête de moine zen, revenu de tout, Richter est certes différent : je vois en lui un homme de l'ailleurs. Un voyageur, au sens que Schubert a donné à ce mot, dans son *Voyage d'hiver* : un pèlerin qui a traversé le ciel et l'enfer, mais qui ne s'y arrête pas. Il ne donne nullement une teinte « moderne » à certaines musiques anciennes : il donne à des musiques ultramodernes dont on commence seulement à entendre l'urgence vitale un arrière-fond d'éternité, dans un monde promis à l'autodestruction. Il ne met pas les notes les unes à côté des autres : ce sont elles toutes qui se rangent, sur un plan supérieur et impérieux, à l'appel d'un sentiment préalable que l'intelligence conduit. Quoi qu'il fasse, son art a pour nom profondeur, sous la pellicule éclatante d'une redoutable sérénité. Là, tout est conçu, comme expliqué. Sviatoslav Richter ne donne que l'image de la passion parfaite, cette connaissance qui passe de bien loin la perfection du désir. À l'entendre, ce n'est pas seulement ce souffle qui balaie le monde de ses imperfections, pour en faire un tourbillon total, en giration autour d'une idée fixe. J'y reconnais le mouvement magique de la contemplation, le train de l'extase, cette révolution qui emporte chacun dans l'effroi de la vision dernière.

⁂

Ma carrière de pianiste a enfin trouvé sa voie, et moi le son qui m'était propre. Le véritable envol professionnel a eu lieu. J'ai beaucoup voyagé. Les programmateurs de concerts et de récitals ont inscrit mon nom sur leurs programmes, aux affiches des théâtres les plus prestigieux. Les festivals voués au piano ont réclamé ma présence. Celui de La Roque-d'Anthéron, dont j'avais tant rêvé, m'a confié l'honneur de jouer pour la soirée d'ouverture de son cru 2002.

J'ai travaillé avec les plus grands chefs d'orchestre de la Terre dont Kurt Sanderling restera toujours mon préféré. Sous sa direction, j'ai atteint, comme rarement, des moments de communion intense avec la musique, avec l'orchestre, avec l'œuvre. Ainsi, un soir, à Paris en avril 1999, j'ai voulu annuler le concert du lendemain parce que j'avais eu, la veille, le sentiment que tout pouvait s'écrouler : l'essentiel venait d'être accompli. J'étais convaincue d'avoir joué exactement comme il le fallait sous sa direction, ce qui est très rare. Après la joie d'avoir réussi quelque chose aussi pleinement, les lendemains sont toujours intimidants, pleins de tristesse, endeuillés de ces instants de beauté entrevue et aussitôt enfuie.

Pour cette raison, je n'ai jamais aimé roder une œuvre avant un premier concert. Pourquoi préférer, pour ce premier baiser, les plus mauvaises conditions ? Mauvaise salle, mauvaise acoustique, piano moyen ? La première fois que j'ai refusé cette avant-première, tout le monde a crié au suicide.

— C'est un trop gros risque ! Vous êtes folle ! Il faut tester votre jeu, évaluer vos effets avant d'affronter le public. Vous allez briser votre carrière.

Je n'en démordais pas, étonnée, chaque fois, de me heurter à une hostilité générale.

— Cette idée de roder une œuvre à l'avance, c'est vraiment ridicule, me dit un jour Martha Argerich. C'est la première fois qu'on joue quelque chose qu'on a vraiment besoin d'être à la hauteur de ce qu'on a imaginé pendant les heures de travail, de préparation et de répétition.

Je lui aurais sauté au cou ! Élémentaire ! À quel moment, mieux que cette première fois, aurait-on besoin de la bonne salle, du bon piano, du bon chef d'orchestre, du bon orchestre, et d'une bonne acoustique ? Imaginez-vous le premier rendez-vous d'amour auquel vous vous êtes préparé des heures et des jours dans un endroit laid, et vous hagard, échevelé ? Impensable, non ?

En fait, si toutes les conditions d'excellence sont réunies, cette première fois n'est pas effrayante ; c'est au fur et à mesure qu'on joue que tout devient plus difficile – la deuxième fois est terrible.

La première fois est souvent magique : il ne s'est rien passé pour altérer la conception utopique que vous aviez de l'œuvre. Votre jeu baigne dans une grâce éphémère et splendide. La deuxième fois, il faut se relever, recommencer avec, d'un seul coup, la conscience de tout ce qui peut arriver. « On ne connaît une œuvre complètement que quand on s'est trompé à chaque endroit possible », a dit Yehudi Menuhin.

Toute ma vie, pour illustrer cette escalade de difficultés et le doute qui vous taraude de plus en plus souvent, je me souviendrai de l'un des derniers concerts que j'ai donnés sous la direction de Kurt Sanderling.

C'était à Munich. Il était dans la loge du chef d'orchestre de la radio. Je frappe à sa porte quinze minutes avant le début du concert. Il m'offre un fauteuil. Nous avions un peu de temps devant nous. J'attends. Il ne parle pas. Il lève les yeux sur moi. J'attends encore.

— Je n'ai aucune idée, Hélène.

J'ai senti mon corps se vider de son sang.

— Comment ça, vous n'avez aucune idée ?

— Vous ne vous rendez pas compte à quel point c'est difficile.

Sa voix était brisée, terriblement lasse.

— À votre âge, on ne se rend pas compte, on ne se rend compte qu'à mon âge, quand on a vu combien les choses pouvaient mal se passer, mal se terminer. On ne l'apprend qu'avec l'expérience ; à votre âge, vous n'avez pas encore vécu suffisamment de mauvais concerts, pour savoir combien les choses peuvent être laborieuses, compliquées, douloureuses.

Il a encore levé les yeux sur moi. Tout le désarroi du monde s'y lisait. J'ai regagné ma loge. Il m'abandonnait ! Une terreur certaine m'a crispé l'estomac mais deux minutes avant d'entrer en scène, je me suis dit :

— Voilà c'est bien, c'est un bon signe. Il va falloir te surpasser, trouver seule le son, le rythme. Prends cela comme un défi et relève-le.

Kurt Sanderling a tout à fait raison. Plus le

temps passe, plus jouer devient périlleux. Évidemment, il y a des œuvres qui deviennent presque organiques pour certains interprètes, ainsi, pour moi, le *Premier Concerto* de Brahms. Et puis certaines, comme le concerto de Schumann, vous échappent davantage au fur et à mesure que vous les jouez. Elles ont cette qualité particulière ce charme qui les rend uniques mais qui fuie sans arrêt, ce quelque chose d'indéfinissable qui n'est jamais vraiment là, qui est si difficile à convertir en émotion, à restituer dans sa justesse. Tout dépend des œuvres, des relations personnelles de chaque artiste avec ces œuvres, mais au fond, oui, plus le temps passe, plus on comprend combien jouer tient de la haute voltige.

***

Très vite, enfant, j'ai découvert la musique, le piano, le travail. Très vite, j'ai fait miens les excès de Schumann et de Brahms. Il manquait à tout ça une dimension, ou plutôt une latitude et une longitude. Je venais de les trouver et j'étais enfin chez moi, en un lieu où se crée le langage. C'est cela aussi, la nature, un gigantesque lieu de germination de la musique, qui est l'autre Verbe, l'incubation de la musique dans le chant des oiseaux, le bruissement du vent dans les grands ormeaux et le soir, le hurlement des loups qui m'appellent sous la lune et me donnent parfois envie de courir et de m'ébrouer dans la neige avec eux.

Alors je sors. J'aime passer du temps dehors, la

nuit. J'écoute de toutes mes forces le bruit de l'eau, du feu. Ces bruits ont une vie parallèle, un rythme, un flux et un reflux dont je pénètre mon âme. Un jour, j'ai donné un conseil à un jeune musicien lors d'une master classe. Il avait un problème d'équilibre entre la tension et la détente, il ne comprenait pas combien le flux et le reflux, à l'intérieur de la phrase musicale, était important. Je lui ai dit : « Il faut entendre les bruits de la nature, les rivières, les torrents, les oiseaux. »

Tous les privilèges se paient peut-être, je ne sais pas. La musique m'a donné la chance de pouvoir faire ce pas de côté qui m'écartait du train-train si mortifère pour moi.

Que vous dire ? À un instant de ma vie, ma différence m'a été si intolérable que j'ai souhaité ne plus être moi-même. Cet état aussi, je l'ai dépassé. Je préfère prendre le risque de décevoir les gens plutôt que de leur mentir. Le but de la vie n'est pas de se protéger ; le risque fait partie de la condition humaine. En définitive, j'espère qu'une balance existe : si certains sont inévitablement déçus, que d'autres soient heureux. Ces situations me rendent toujours triste, mais ne me mettent plus en colère.

J'ai acquis petit à petit cette harmonie intérieure lorsque j'ai accepté mes contradictions, lorsque j'ai compris que certains êtres ne sont pas un, mais un puzzle d'aspirations contraires, et qu'il est suicidaire, voire mutilant, de renier l'une de ces pièces au prétexte de vouloir ressembler à une norme imposée par un modèle – mais quel modèle, n'est-ce pas, modèle de la petite fille modèle, de la jeune fille sage qui épouse le gendre idéal et reproduit le modèle en deux ou trois enfants, modèle de la pianiste éthérée ? Chaque être porte le mystère de ses contradictions, de ses combats intérieurs.

Nous sommes tous des mystères incarnés.

Je me sens merveilleusement heureuse aujourd'hui parce que j'ai trouvé mon équilibre, j'ai résolu ce problème de symétrie qui m'a poussée, enfant, à me mutiler. J'ai trouvé ce point secret, personnel et intime, entre les loups et la nature la plus sauvage, et la musique la plus raffinée – entre le Ciel et la Terre. Je suis en état de gratitude permanent. La seule question qui me taraude est la suivante : comment arriver à rendre, à redonner aux autres, la qualité de cet état ? Il y va de ma responsabilité. Ce sentiment d'une mission s'est développé dès que je me suis installée à South Salem en 1997. Lorsque les loups sont apparus. Ils ont formé le lien qui m'unit au monde. Ils m'ont permis d'aller plus avant en moi.

Alawa est morte en 1994, quelques mois avant Denys qu'on a retrouvé sans vie, dans son lit, sans doute d'un arrêt cardiaque. Pendant des semaines, à New York, leur souvenir m'a hantée. J'ai erré dans les rues, en larmes. Alawa morte, à quoi servait ce centre ? Denys disparu, qui s'enthousiasmerait pour mes projets, me réconforterait, m'encouragerait, me conseillerait au téléphone ? Et alors, une de nos conversations téléphoniques m'est revenue en mémoire. Un jour que je doutais, épuisée par mes galères quotidiennes, écrasée par la masse entière de la ville, j'ai appelé Denys, au bord de l'abandon.

— Quels que soient les doutes qui te rongent, tu devais bien savoir ce que tu faisais quand tu es partie de Floride. Il doit y avoir une raison profonde, bien plus forte que quelques accidents de parcours. Tu as de l'instinct, Hélène. Trouve cette raison. Et à défaut, crée-la.

Je l'ai créée. En 1999, nous avons reçu au centre sept cent cinquante enfants ; en 2002, ce sont huit mille cinq cents enfants qui sont venus. En tout, le nombre de visiteurs s'élève à quinze mille depuis 1997.

Ma plus belle récompense, c'est la joie des enfants quand je les mets en contact avec cette part d'eux qu'est le loup – leur liberté de choisir la liberté, de faire ce pas de côté, de permettre à leur être, en ce qu'il a d'unique, de s'élire et de se choisir. Cet être unique qui repose en eux-mêmes comme un coquillage au fond de la mer, une graine encore juteuse dans la terre chaude, avant que le monde ne la dessèche. Ne la dessèche et avec elle, dessèche le beau terreau et le transforme en sable stérile, ce sable justement dont on voudrait qu'il mesure le temps.

Ce que j'aimerais leur transmettre ? Comme le loup possède la terre et le poisson l'océan, comme l'oiseau possède le ciel et les dieux le feu, l'homme doit trouver son élément, le cinquième élément, le seul dont nous ne serons jamais exclus. L'art est cet élément, sans lequel nous errons, orphelins et malheureux, la vie durant ; sans lequel nous nous coupons de la nature et du cosmos parce que nous devenons sourds, aveugles, insensibles, désensibilisés.

Je voudrais aider les enfants à reconnaître cet espace, leur espace, celui que les loups m'ont permis de retrouver, cette part de soi-même qui possède l'univers et, avec lui, le temps par la clef de la musique.

L'espace de la santé essentielle.

Cet ouvrage a été imprimé par

FIRMIN DIDOT
GROUPE CPI

Mesnil-sur-l'Estrée

pour le compte des Éditions Robert Laffont
24, avenue Marceau, 75008 Paris
en septembre 2003

Cet ouvrage a été composé et mis en pages
par Étianne Composition
à Montrouge

Dépôt légal : octobre 2003
N° d'édition : 44051-01 – N° d'impression : 65406
Imprimé en France